mes années
POURQUOI

Le ciel et l'espace

texte de
Virginie Loubier

illustrations de
Robert Barborini
Audrey Brien
Hélène Convert
Christian Guibbaud
Cristian Turdera

MILAN

Le sommaire

Le ciel 6

Le ciel	8
Le cycle de l'eau	10
La météo	11
La Terre tourne autour du Soleil	12
Le jour et la nuit	14
Les saisons	15
Les phases de la Lune	16
Les éclipses	18
Voyons voir…	20

Le système solaire 22

Les planètes du système solaire	24
Le Soleil	26
La planète Terre	28
La Lune	29
Les autres planètes	30
L'Univers	32
Voyons voir…	34

Observer l'Univers 36

Les étoiles 38

Les galaxies 40

La Voie lactée 42

Les télescopes 44

La Terre vue du ciel 46

La fusée 48

Le vol 49

Les satellites 50

Voyons voir… 52

La conquête spatiale 54

La conquête spatiale 56

L'entraînement des astronautes 58

La base de lancement 60

Le premier pas sur la Lune 62

La Station spatiale internationale 64

Le ravitaillement de la station 66

Sortir dans l'espace 68

Le retour sur Terre 70

L'espace du futur 72

Voyons voir… 74

Ab L'index 76

écrire — Tous les noms de cette imagerie sont présentés avec leur article défini. Pour aider votre enfant à mieux appréhender la nature des mots, les verbes et les actions sont signalés par un cartouche.

Pour vérifier les acquis et permettre à votre enfant de s'évaluer, une double page « Voyons voir… » est présente à la fin de chaque grande partie.

Ab — Retrouvez rapidement le mot que vous cherchez grâce à l'index en fin d'ouvrage.

En bas de chaque planche se trouvent des renvois vers d'autres pages traitant d'un sujet complémentaire. Ainsi, vous pouvez varier l'ordre de lecture et mieux mettre en relation les savoirs.

Le ciel

Le ciel

Le ciel au-dessus de ta tête enveloppe la Terre entière. C'est une couche d'air appelée atmosphère.

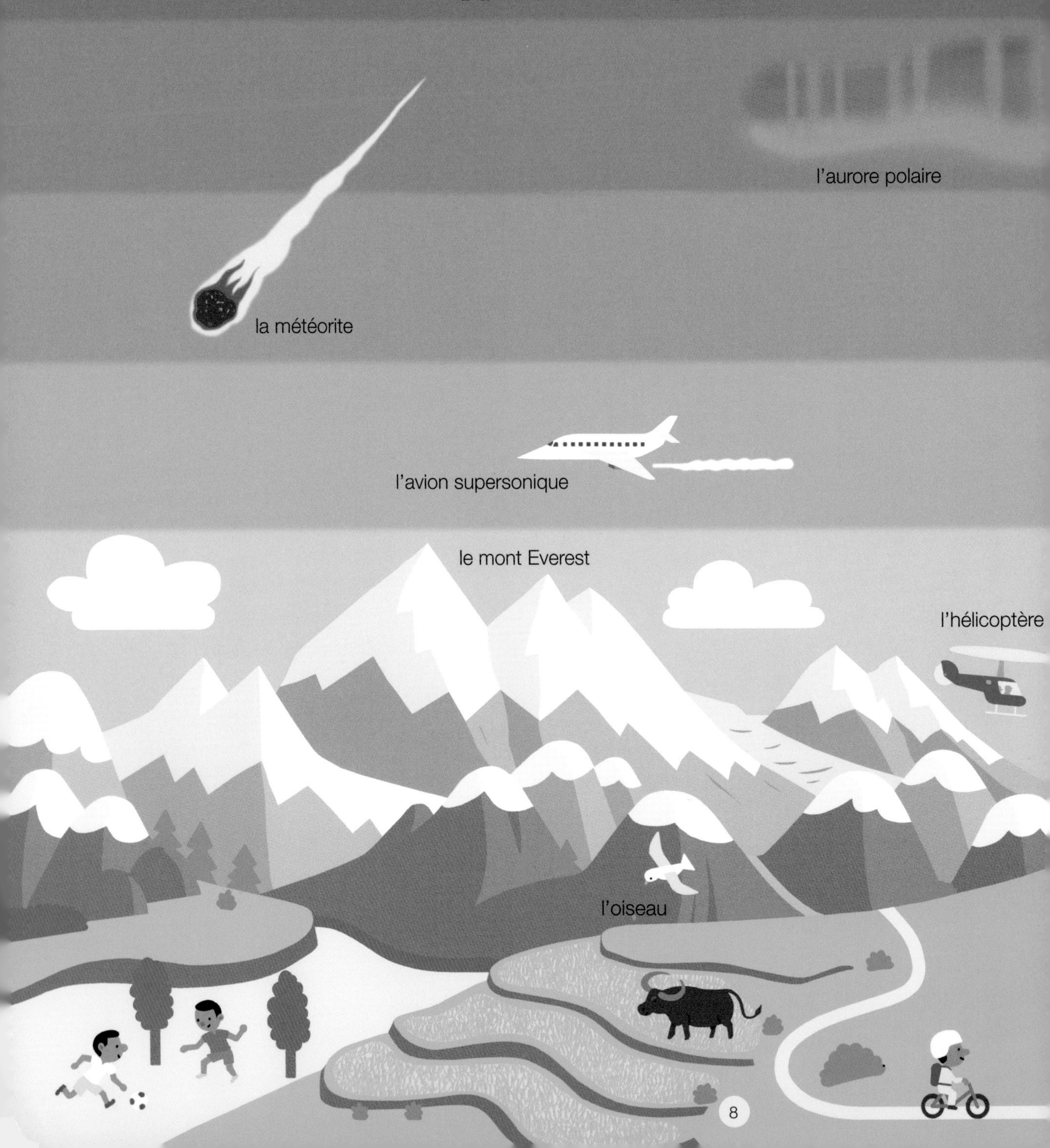

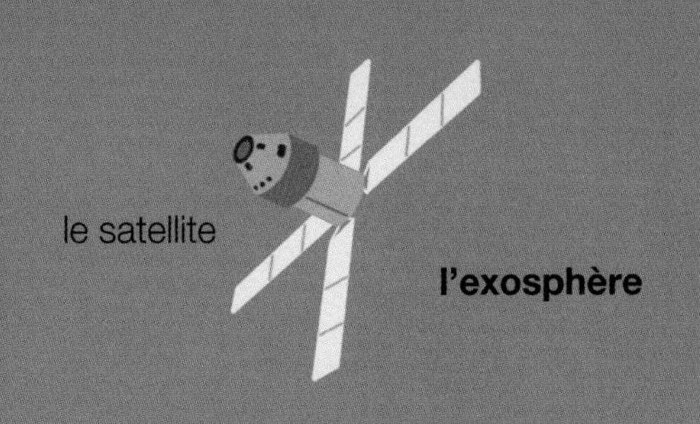

l'exosphère

la thermosphère

la mésosphère

la stratosphère

la troposphère

la pluie

le nuage

Pourquoi le ciel est-il bleu ?

Quand il fait jour, tu vois que le ciel est bleu dehors.

La lumière du Soleil contient plusieurs couleurs qui traversent l'air du ciel.

Le bleu est la couleur qui se propage le plus facilement. C'est pourquoi on ne voit que du bleu dans le ciel en journée.

Les télescopes **44**
La Terre vue du ciel **46**

Le cycle de l'eau

L'eau voyage entre la terre et le ciel, puis retombe sur le sol et recommence son parcours.

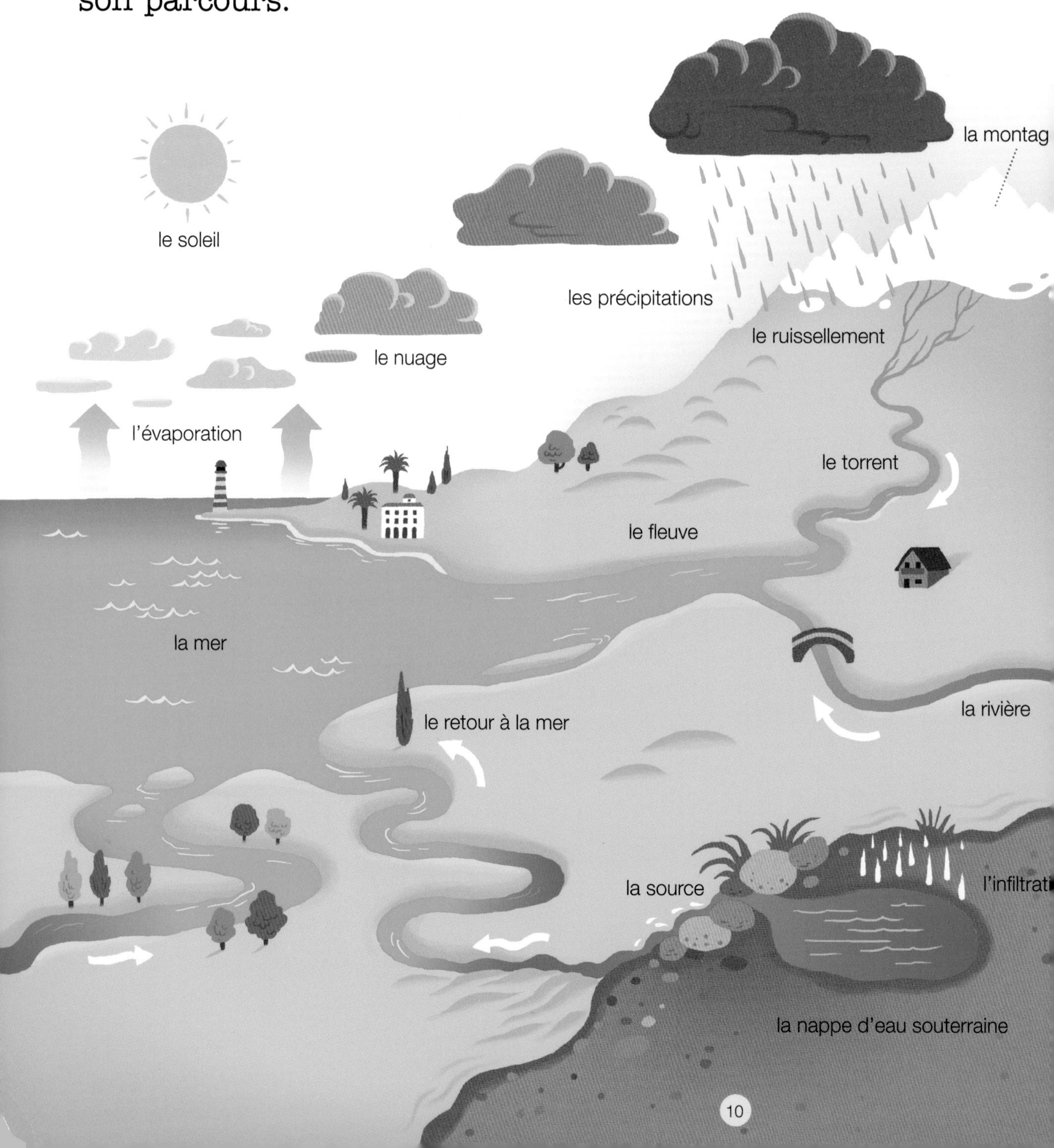

La météo

Tous les jours, des personnes étudient le ciel pour prévoir le temps qu'il va faire.

prévoir la météo

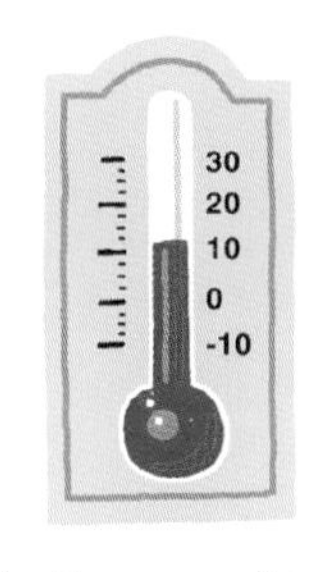

le thermomètre

mesurer la température

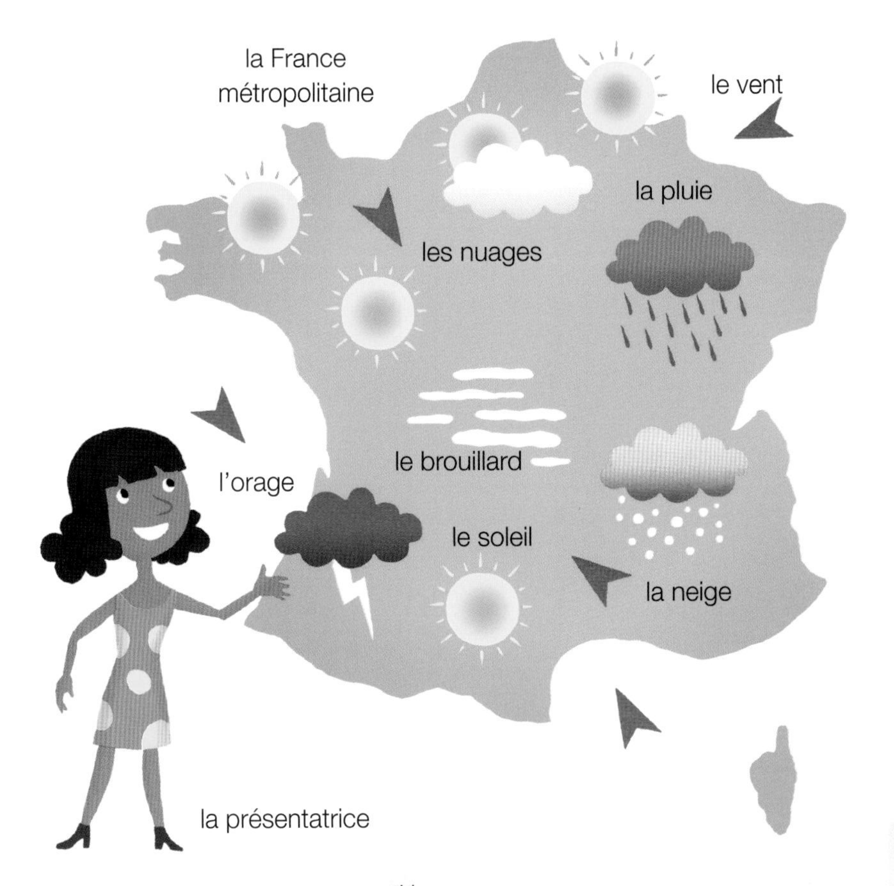

Qu'est-ce qu'un arc-en-ciel ?

As-tu déjà vu un arc-en-ciel? C'est quand il pleut et que le soleil brille à la fin de l'averse.

Les rayons du soleil à travers les gouttes de pluie décomposent les couleurs présentes dans la lumière comme avec un prisme.

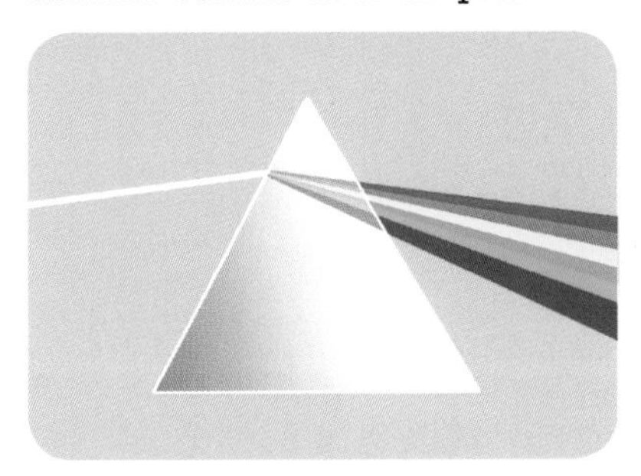

Il y a autant de couleurs que de jours dans la semaine : rouge, orange, jaune, vert, bleu, indigo et violet.

Les saisons 15
La planète Terre 28

La Terre tourne autour du Soleil

La Terre tourne sans cesse sur elle-même et autour du Soleil. Tu ne t'en rends pas compte, mais tu tournes avec elle !

Est-ce que le Soleil tourne aussi ?

1 an = **365** jours
1 jour = **24** heures

Tu as peut-être l'impression que le Soleil est un point fixe, avec des planètes qui tournent autour de lui.

Mais le Soleil met 27 jours pour tourner sur lui-même et 250 millions d'années pour faire le tour de la Galaxie.

En 1543, Nicolas Copernic démontre que la Terre tourne autour du Soleil. Avant lui, les savants pensaient le contraire.

Les saisons **15**
Le Soleil **26**

Le jour et la nuit

Quand la Terre est éclairée par le Soleil,
il fait jour. De l'autre côté de la Terre, il fait nuit.

Les saisons

La Terre est penchée comme une toupie. Le côté le plus proche du Soleil reçoit le plus de chaleur. Le côté le plus éloigné est le plus froid.

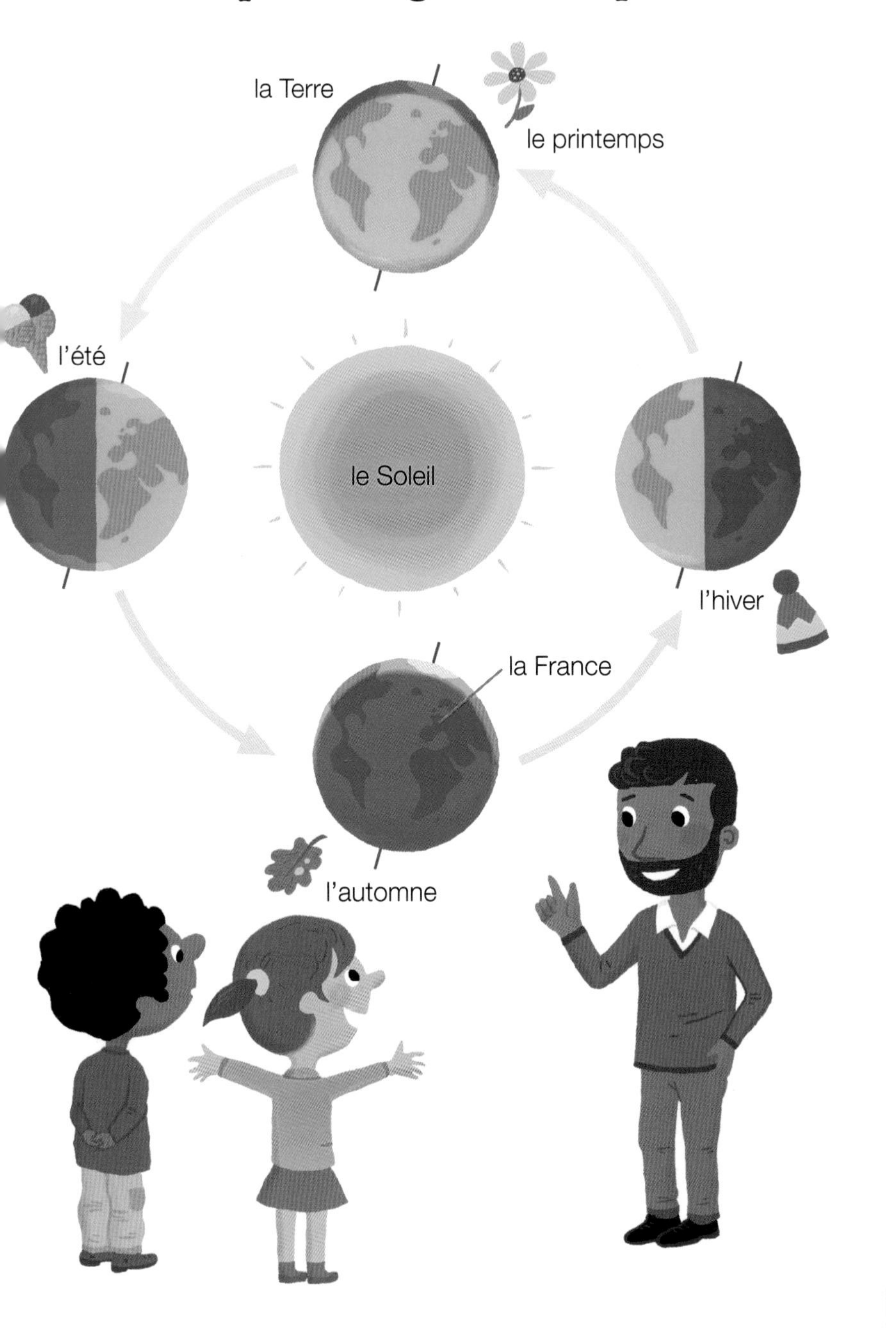

Où va le soleil quand il se couche ?

Le soir, tu peux voir le soleil disparaître petit à petit à l'horizon, comme s'il se couchait au moment où arrive la nuit.

Ce n'est pas le Soleil qui se déplace, mais la Terre qui tourne sur elle-même en une journée.

Dans ta chambre, vois-tu le soleil le matin ou le soir?

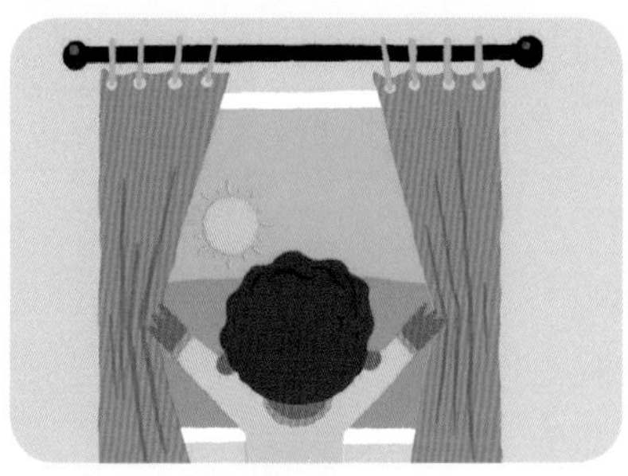

La Terre tourne autour du Soleil 12
Les éclipses 18

Les phases de la Lune

La Lune ne change pas de forme,
mais tu en as parfois l'impression selon sa position
par rapport à la Terre et au Soleil.

le premier croissant

le premier quartier

la pleine lune

le dernier quartier

le dernier croissant

la nouvelle lune

Est-ce que la Lune est une étoile ?

As-tu déjà remarqué que la Lune nous éclaire le soir? Et pourtant ce n'est pas une étoile.

La Lune ne brille pas, mais elle est éclairée par le Soleil. Elle reflète sa lumière comme un miroir.

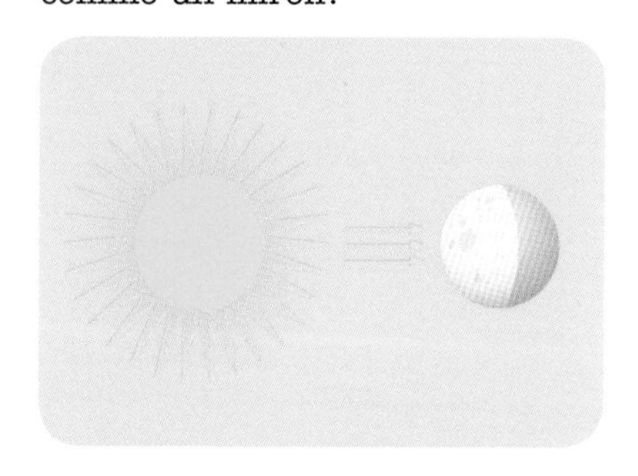

Comme la Lune tourne autour de la Terre, on dit qu'elle est son satellite naturel.

La Lune **29**
Le premier pas sur la Lune **62**

Les éclipses

Quand la Lune cache le Soleil, on dit que c'est une éclipse solaire. Quand la Terre cache le Soleil, c'est une éclipse lunaire.

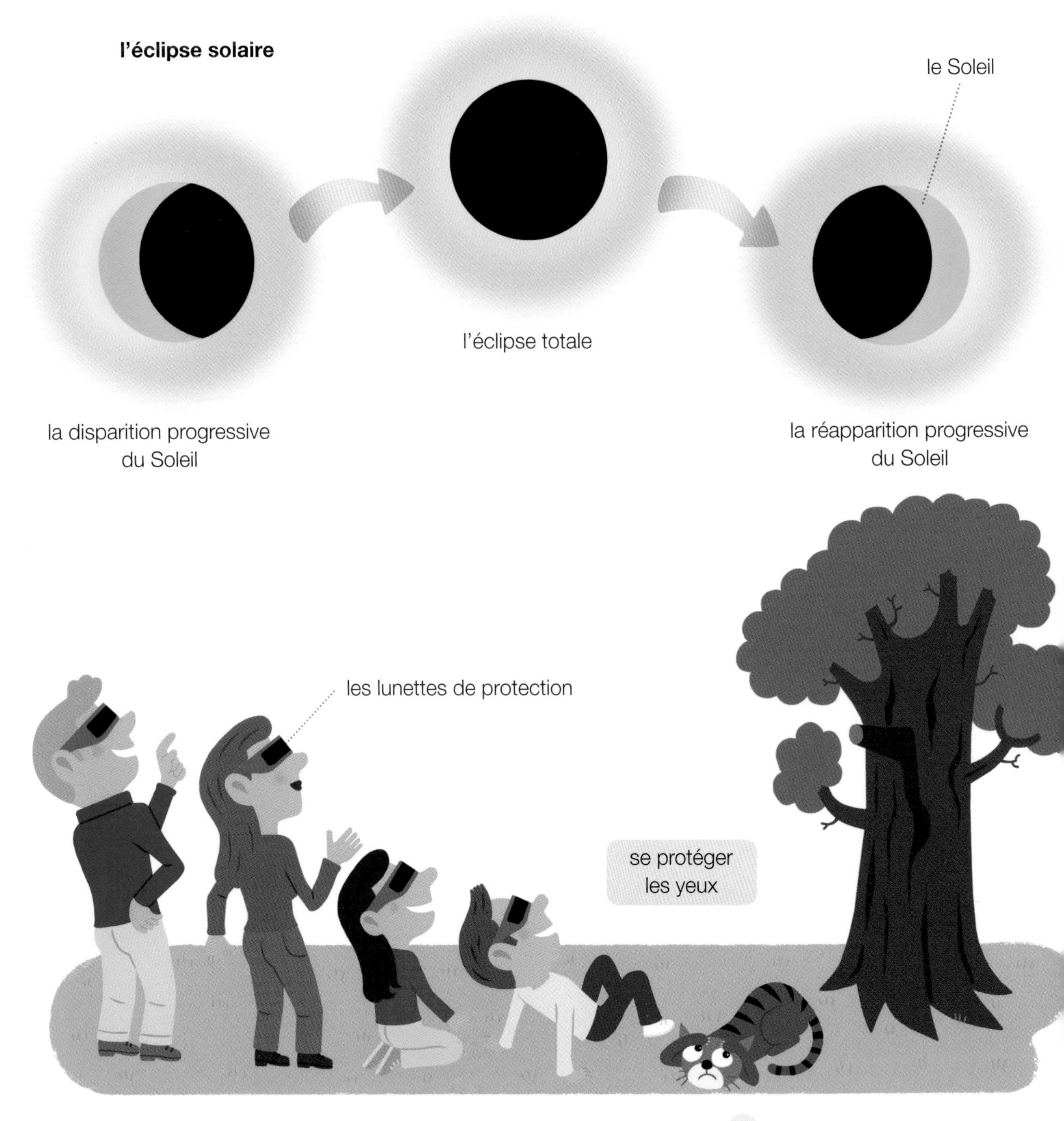

l'éclipse lunaire

la zone d'éclipse partielle

la zone d'éclipse totale

la Lune

l'ombre de la Lune

Quand peut-on voir une éclipse ?

Les éclipses solaires sont rares. Quand il y en a une, beaucoup de gens se rassemblent pour l'observer.

Au contraire, on peut voir des éclipses lunaires au moins une ou deux fois par an.

La prochaine éclipse solaire totale visible en France aura lieu en 2081. N'oublie pas de la noter sur le calendrier !

Le Soleil **26**
La Lune **29**

Voyons voir...

Retrouve toutes les couches de l'atmosphère.

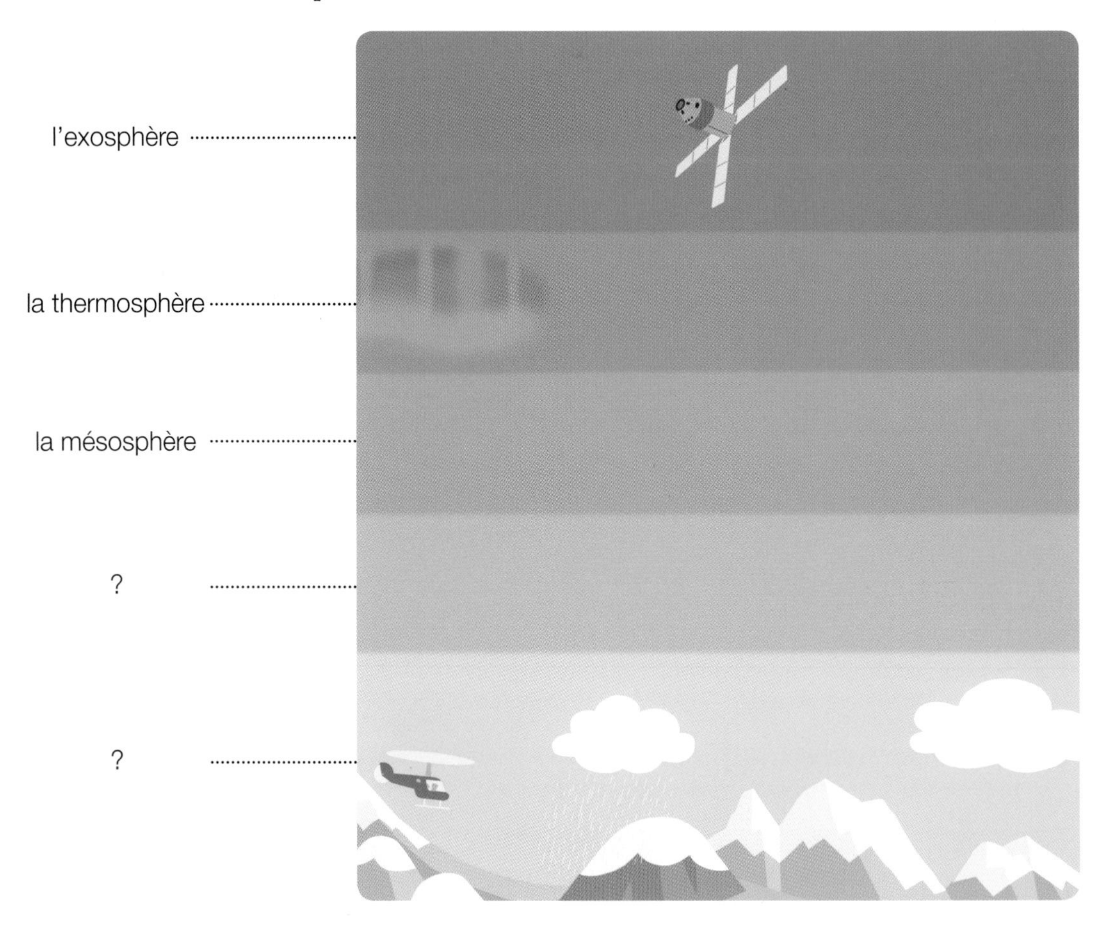

Parmi ces images, laquelle ne fait pas partie de la météo?

Remets les phases de la Lune dans l'ordre chronologique.

As-tu déjà assisté à une éclipse ?

Savais-tu qu'il fallait porter des lunettes spéciales pour observer les éclipses solaires ?

Le système solaire

Les planètes du système solaire

Le système solaire se compose d'une étoile, le Soleil, de huit planètes, qui tournent autour de lui, et d'astéroïdes composés de roches et de métal.

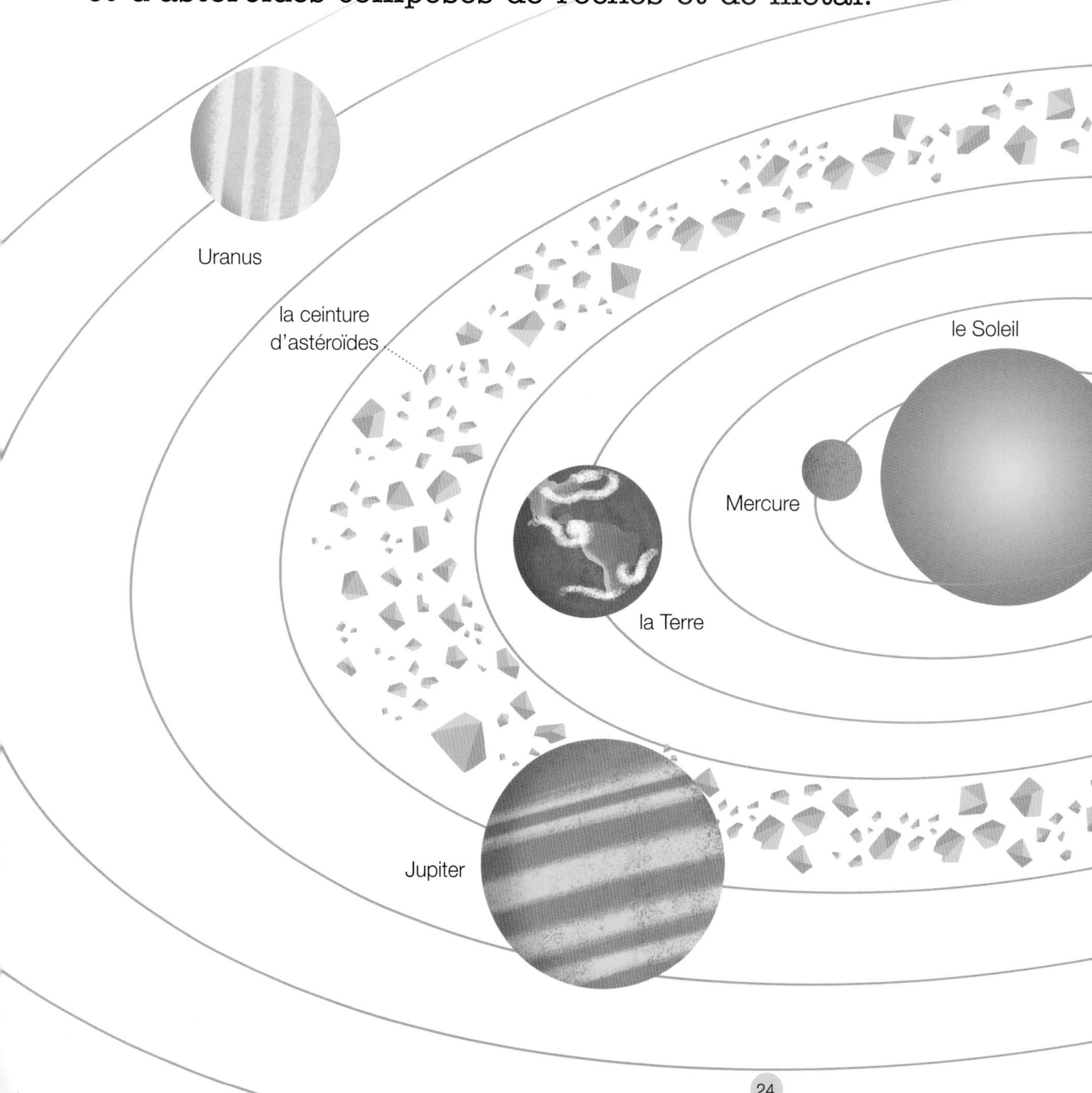

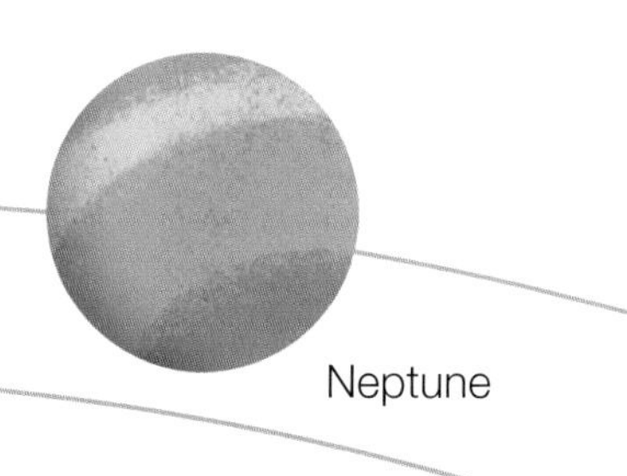

Est-ce qu'on connaît d'autres planètes ?

Tu as peut-être déjà lu des histoires qui se passent sur des planètes inconnues.

Il existe des milliers de planètes hors du système solaire. On les appelle des exoplanètes.

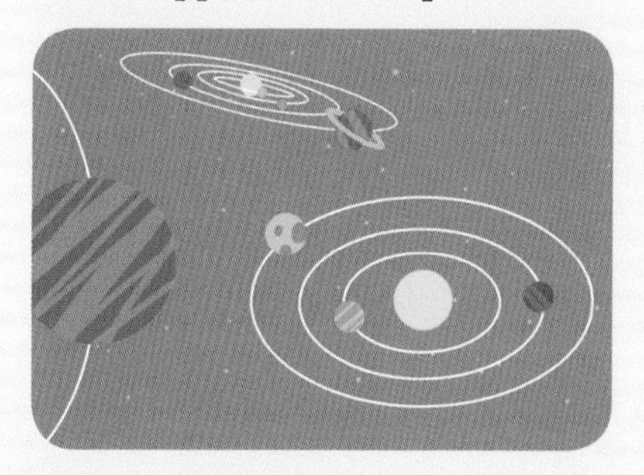

Ces exoplanètes tournent aussi autour d'étoiles. On ne sait pas encore si elles abritent de la vie.

La planète Terre **28**
Les autres planètes **30**

Le Soleil

Cent fois plus gros que la Terre, le Soleil est l'étoile la plus proche de nous. Sans sa chaleur, aucune vie ne serait possible sur Terre.

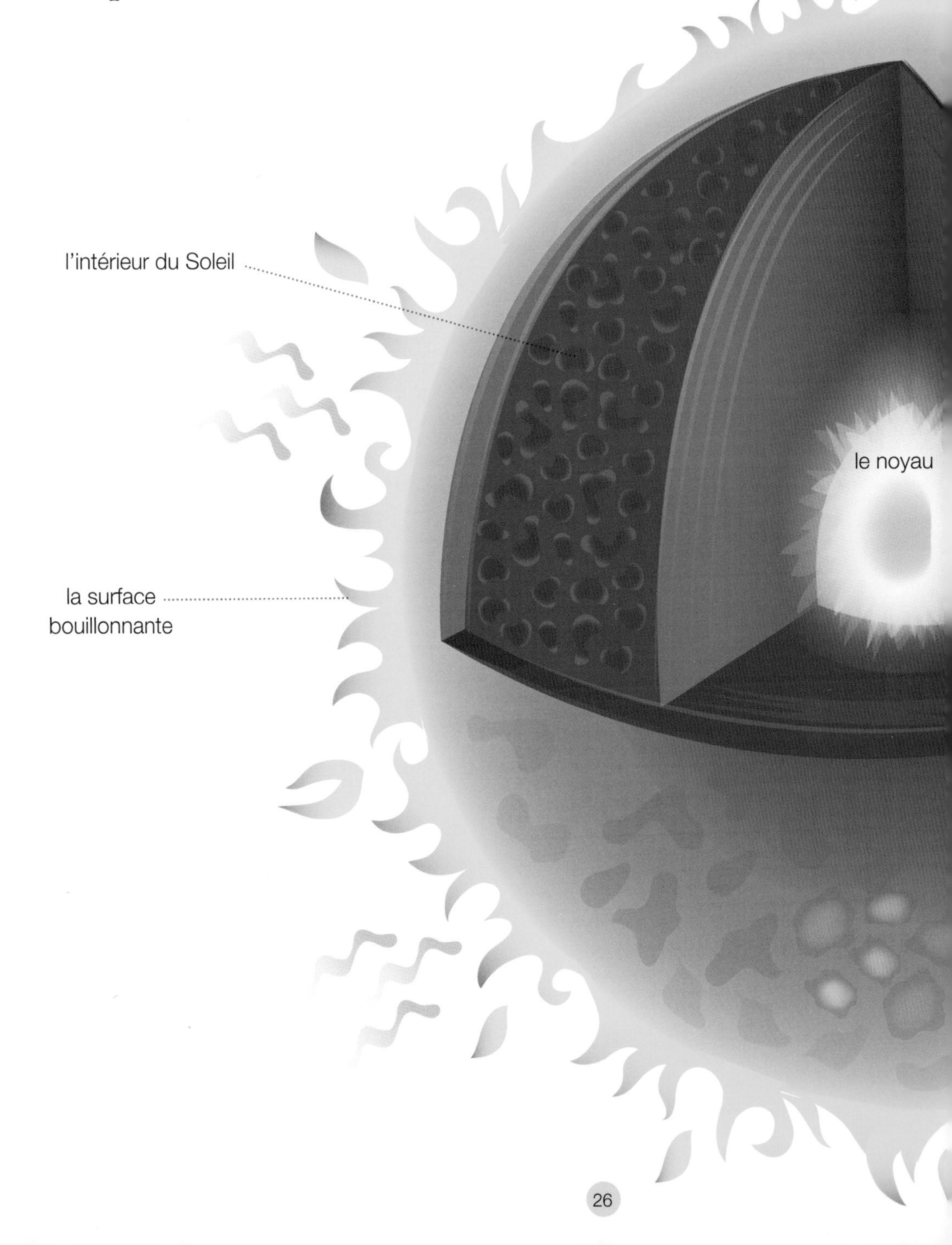

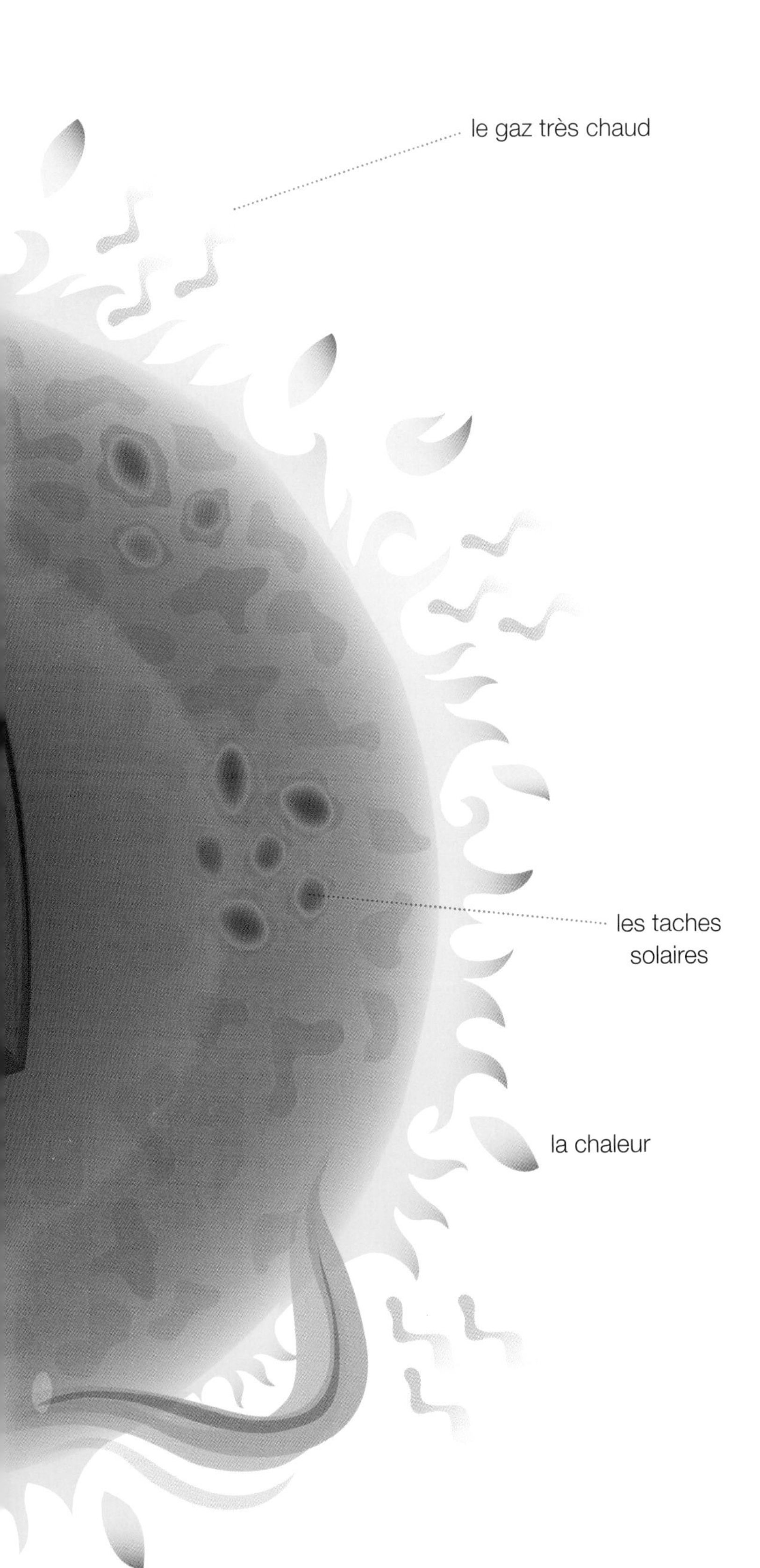

Pourquoi le Soleil brille ?

Sais-tu que le Soleil brille même s'il y a des nuages ? Le Soleil est une énorme boule de gaz chaude.

Son noyau produit de l'énergie : il y fait très, très chaud.
À la surface, le Soleil brille, car la chaleur émet de la lumière.

Grâce à la lumière du Soleil, des panneaux solaires peuvent produire de l'électricité pour ta maison.

La Terre tourne autour du Soleil **12**
Les éclipses **18**

La planète Terre

La Terre est la troisième planète
la plus proche du Soleil. Elle possède des océans,
des continents et deux pôles.

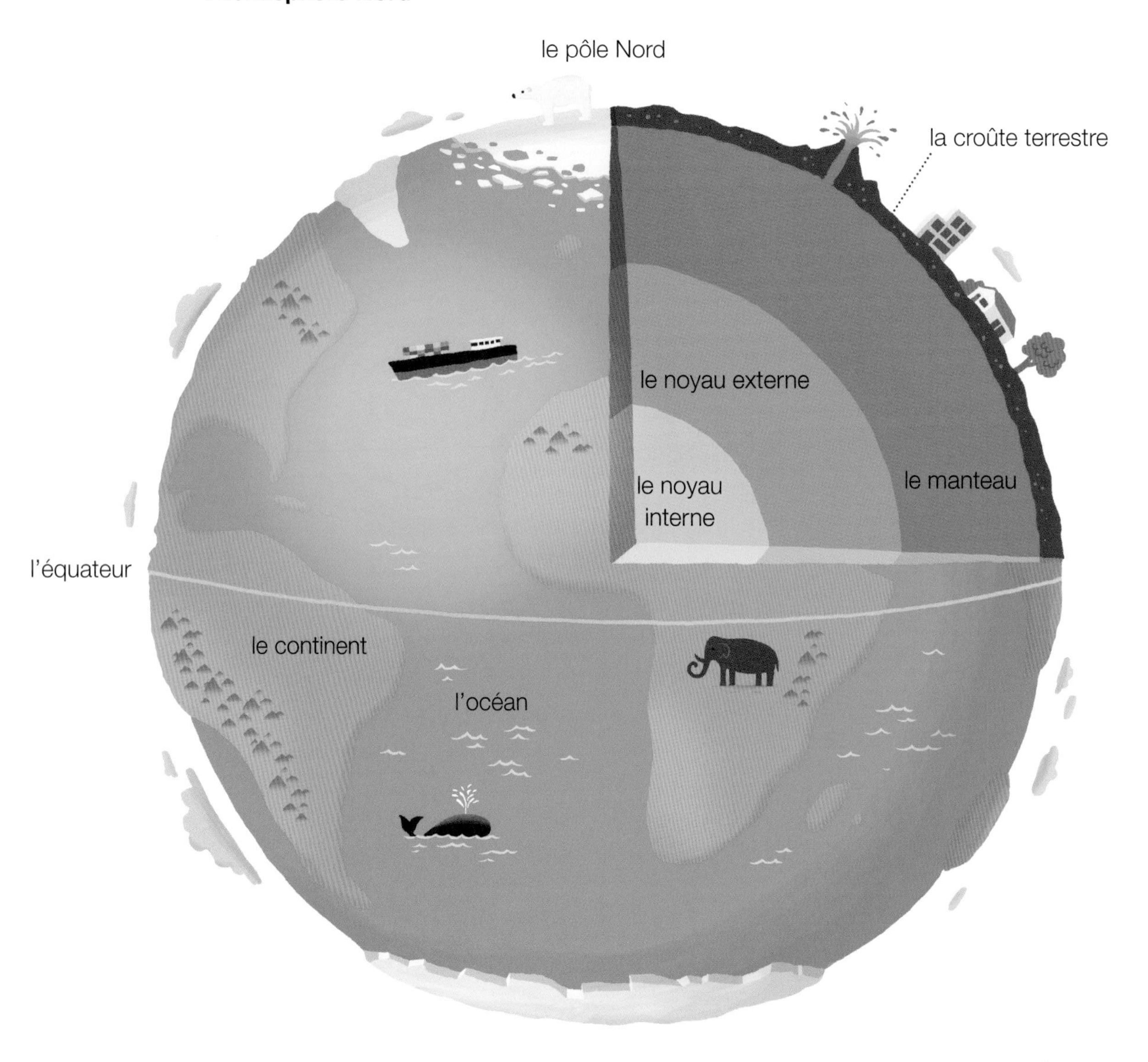

La Lune

La Lune comporte des mers, des cratères et de petites montagnes.

la face visible de la Lune

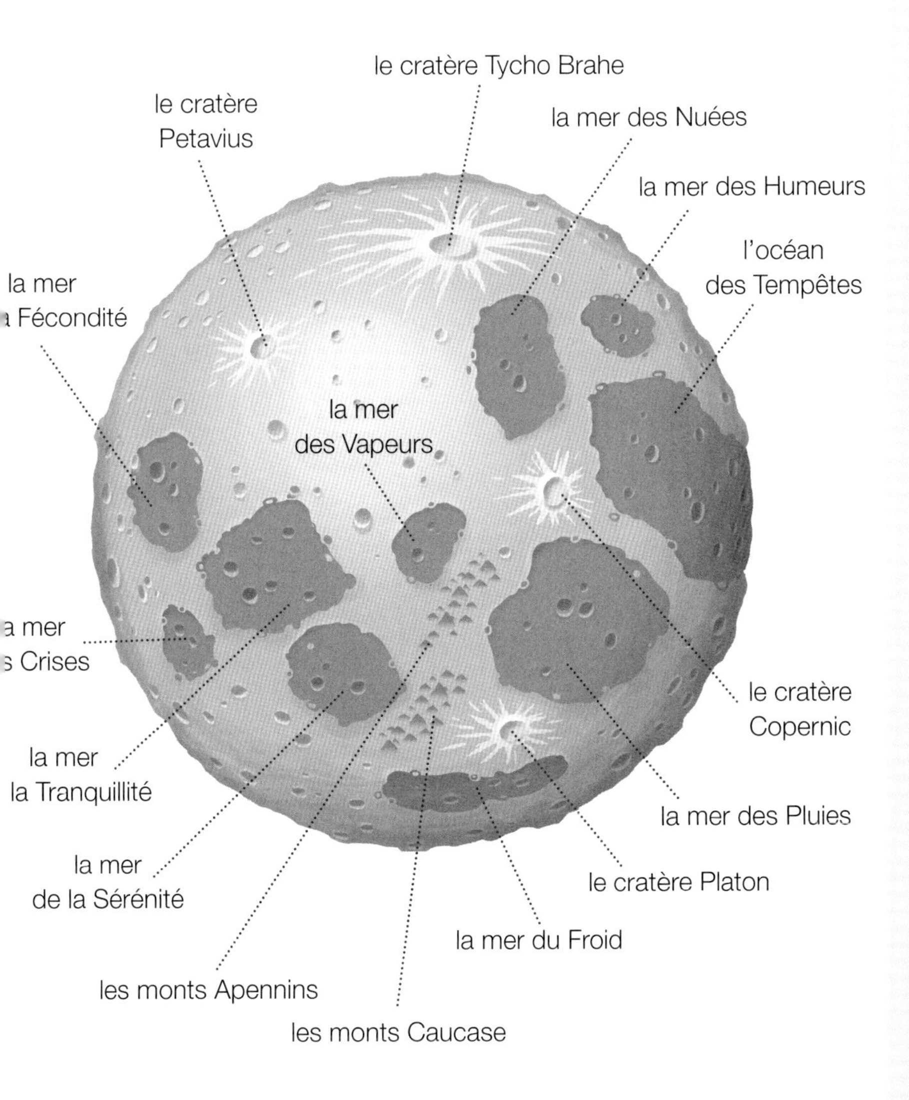

Les taches sombres s'appellent des *mers*.

Pourquoi y a-t-il de la vie sur Terre ?

La Terre est la seule planète du système solaire où il y a des êtres vivants.

La vie existe sur Terre, car c'est la seule planète du système solaire où l'on trouve de l'eau sous forme liquide.

L'atmosphère aussi est importante : elle nous protège des rayons brûlants du Soleil.

La Terre vue du ciel **46**
Le premier pas sur la Lune **62**

Les autres planètes

Il y a deux sortes de planètes : les gazeuses, composées de gaz, et les telluriques, qui ont une surface rocheuse.

Neptune

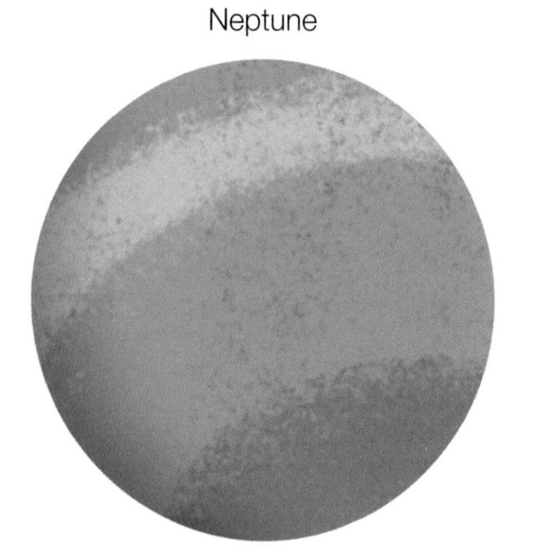

la planète
la plus éloignée
du Soleil

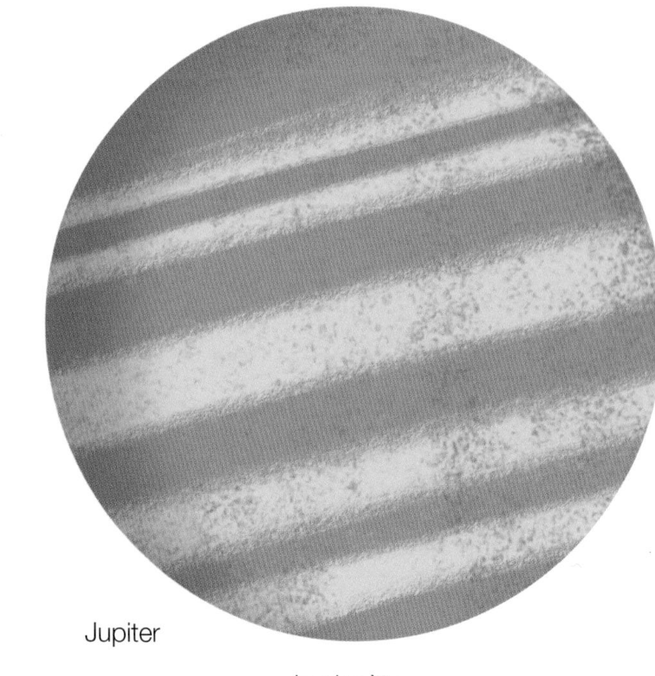

Jupiter

la planète
la plus grosse

la planète
de travers

les planètes telluriques

Vénus

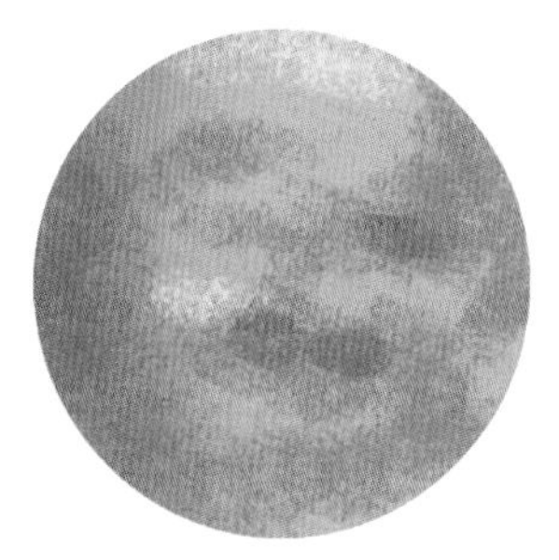

la planète
la plus chaude

Mercure

la plus petite
planète

Mars

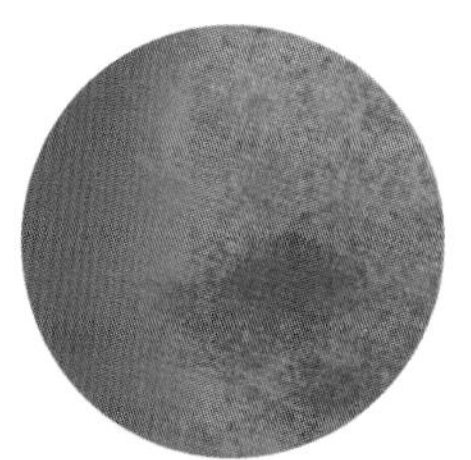

la planète rouge

la Terre

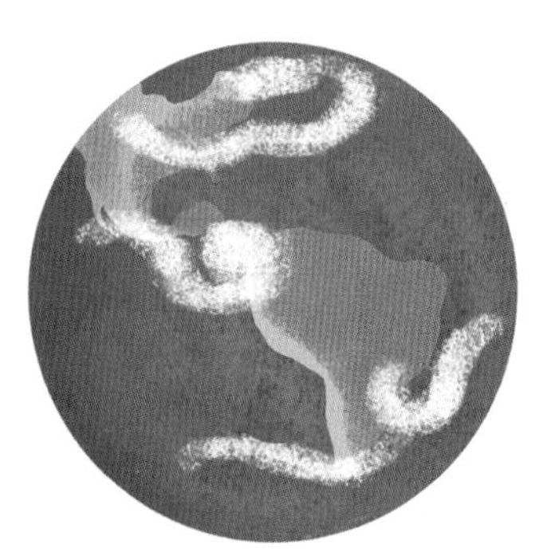

la planète bleue

Est-ce que ça existe, les extraterrestres ?

Personne ne sait s'il y a des extraterrestres. En attendant de le découvrir, tu peux imaginer ce que tu veux !

Les scientifiques cherchent des traces de vie ailleurs que sur la Terre en envoyant des sondes sur d'autres planètes.

Pour l'instant, ils pensent que ces traces de vie ressembleraient plutôt à des microbes, appelés bactéries.

Les planètes du système solaire **24**
La planète Terre **28**

L'Univers

L'Univers est immensément grand.
Il contient tout ce qui existe : les étoiles, les planètes, les galaxies.

le système solaire

les traînées de poussières

le trou noir

l'être humain

la matière sombre

Comment est né l'Univers ?

L'Univers s'est créé il y a 14 milliards d'années. Le Big Bang a fait apparaître les galaxies, les étoiles et les planètes.

Mais le Big Bang n'est pas une explosion. L'Univers a grandi petit à petit comme un ballon dans lequel tu souffles.

Nous ne connaissons qu'une toute petite partie de l'Univers, il reste encore beaucoup de choses à découvrir...

La Voie lactée 42
Les télescopes 44

Voyons voir...

Classe les planètes de la plus proche à la plus éloignée du Soleil.

Montre avec ton doigt une mer, un cratère et une montagne.
Sais-tu ce qu'est une mer sur la Lune?

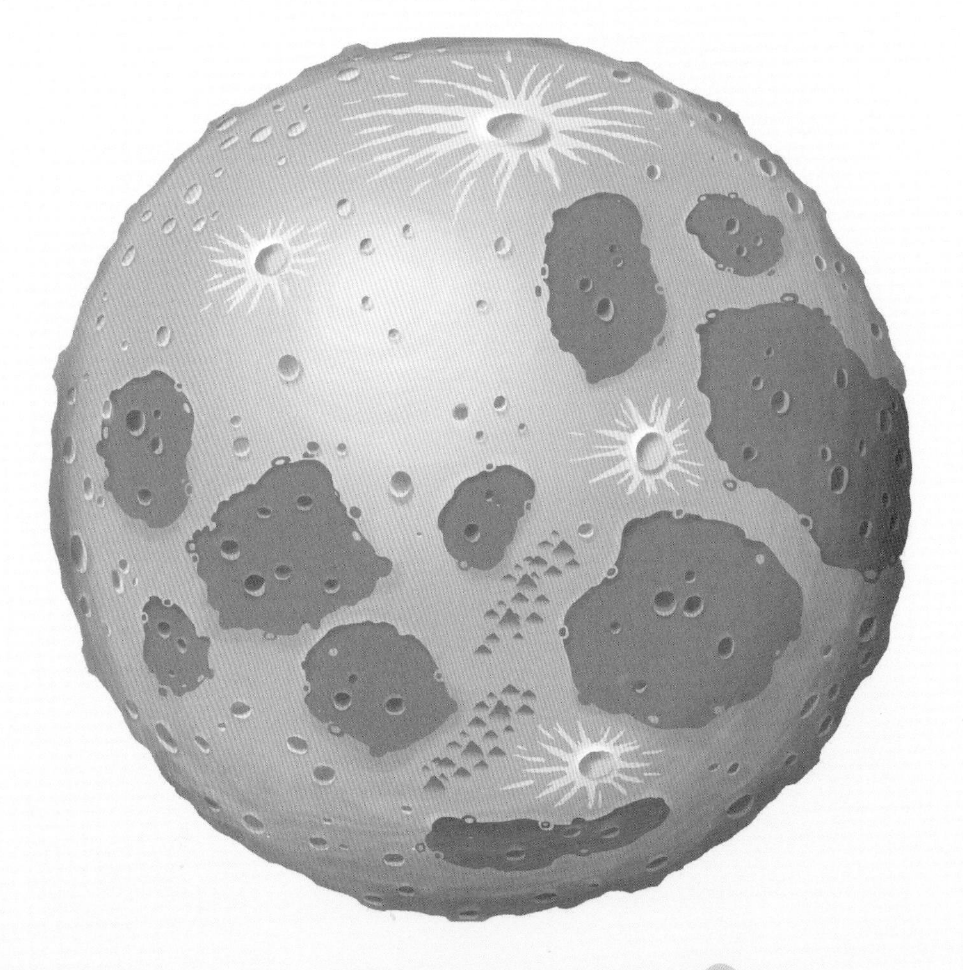

Te souviens-tu quelles planètes sont telluriques ?
Lesquelles sont gazeuses ?

Notre planète est la seule où les êtres humains peuvent vivre.
Sais-tu qu'une plante est aussi un être vivant ?
Penses-tu que les extraterrestres existent ?

Observer l'Univers

Les étoiles

Les étoiles sont les points lumineux que tu vois dans le ciel. Les groupes d'étoiles qui ont des formes particulières s'appellent des constellations.

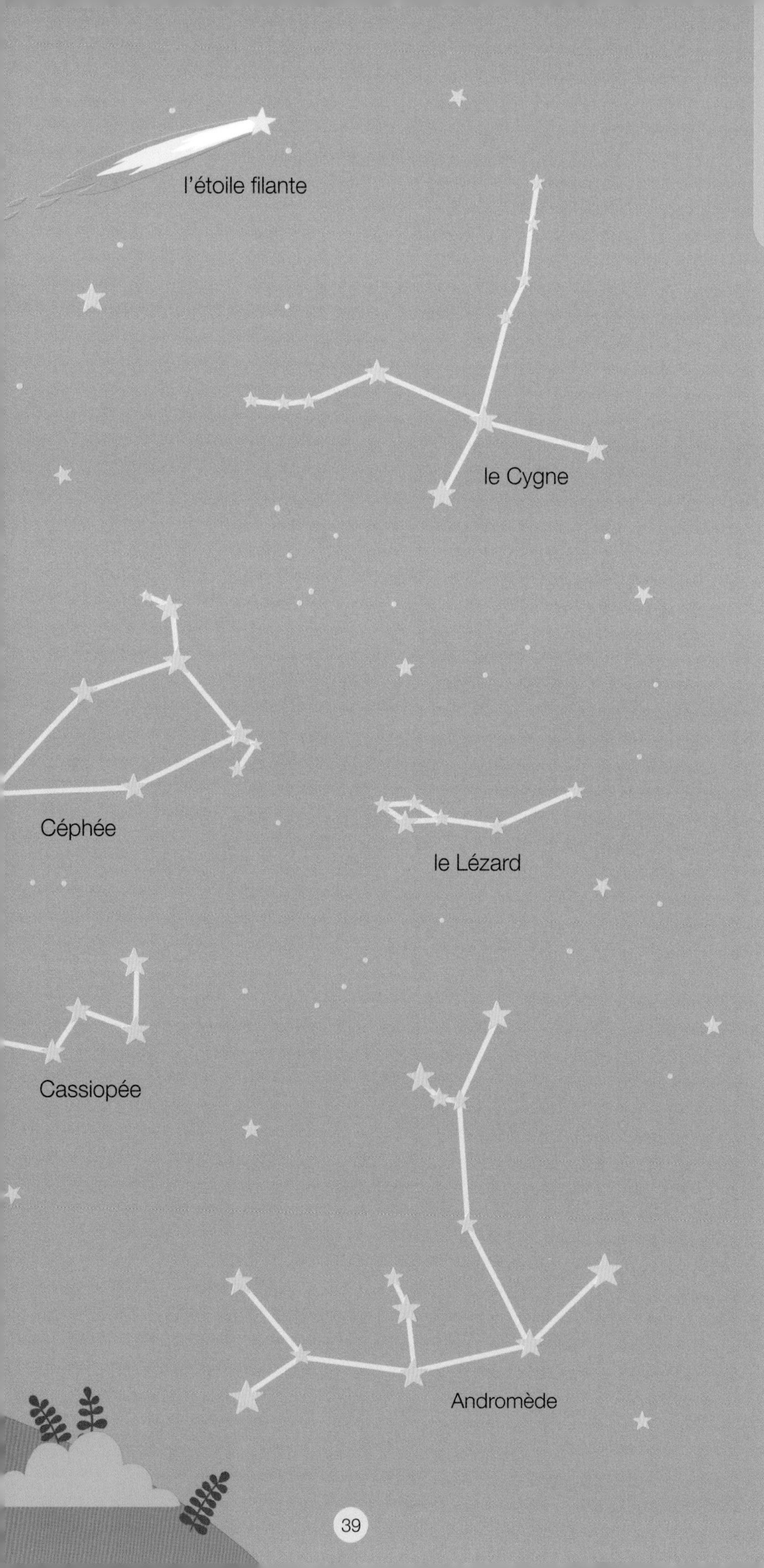

Qu'est-ce qu'une étoile filante ?

Une étoile filante est un petit caillou appelé météoroïde, qui traverse l'atmosphère.

Sa chute est très rapide et laisse une trace de gaz très chaud et lumineux, qui disparaît en un clin d'œil.

En regardant le ciel par une nuit d'été, tu as peut-être déjà vu une étoile filante.

Les télescopes **44**
La Terre vue du ciel **46**

Les galaxies

Une galaxie regroupe des étoiles, des gaz
et des poussières qui tournent autour d'un centre.
Les galaxies n'ont pas toutes la même forme.

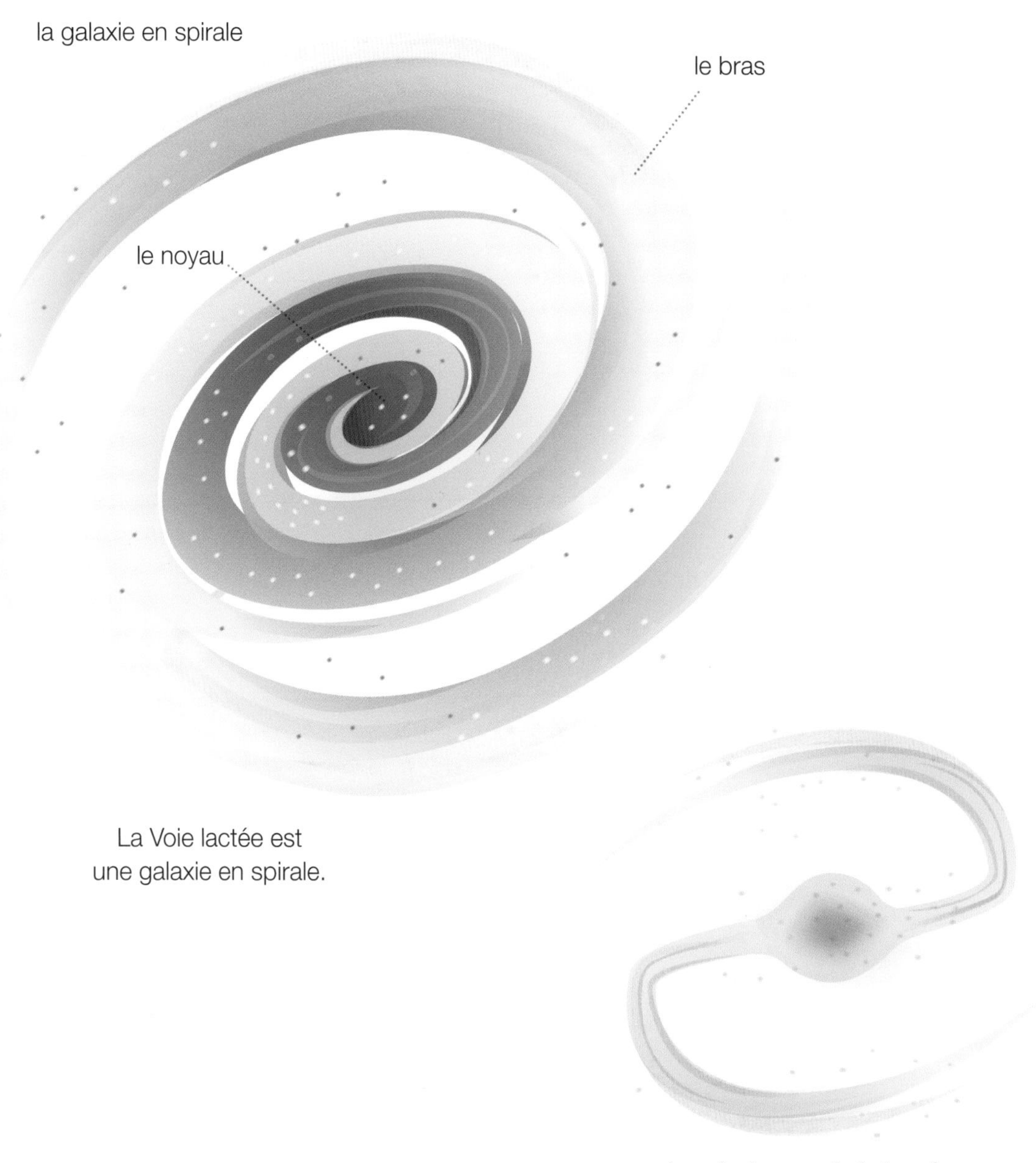

La Voie lactée est
une galaxie en spirale.

la galaxie ovale

la galaxie irrégulière

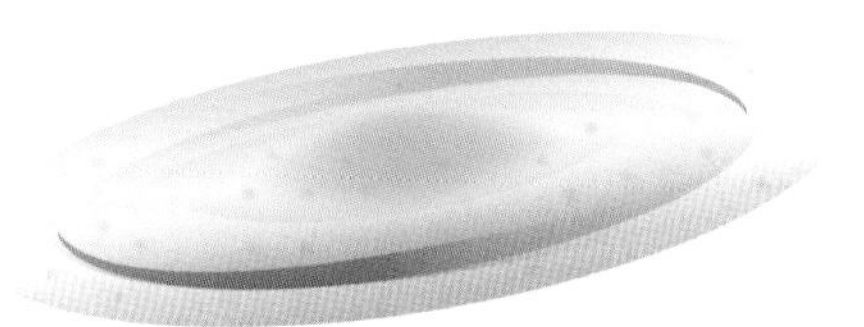

la galaxie
en forme de lentille

Combien y a-t-il de galaxies ?

Sais-tu que l'Univers change en permanence et que de nouvelles galaxies continuent de se créer ?

Les scientifiques ne connaissent qu'une toute petite partie de l'Univers.

Les recherches avancent chaque jour pour construire de nouveaux télescopes et mieux l'observer.

L'Univers **32**
La Voie lactée **42**

La Voie lactée

Notre système solaire se situe dans une galaxie appelée Voie lactée.

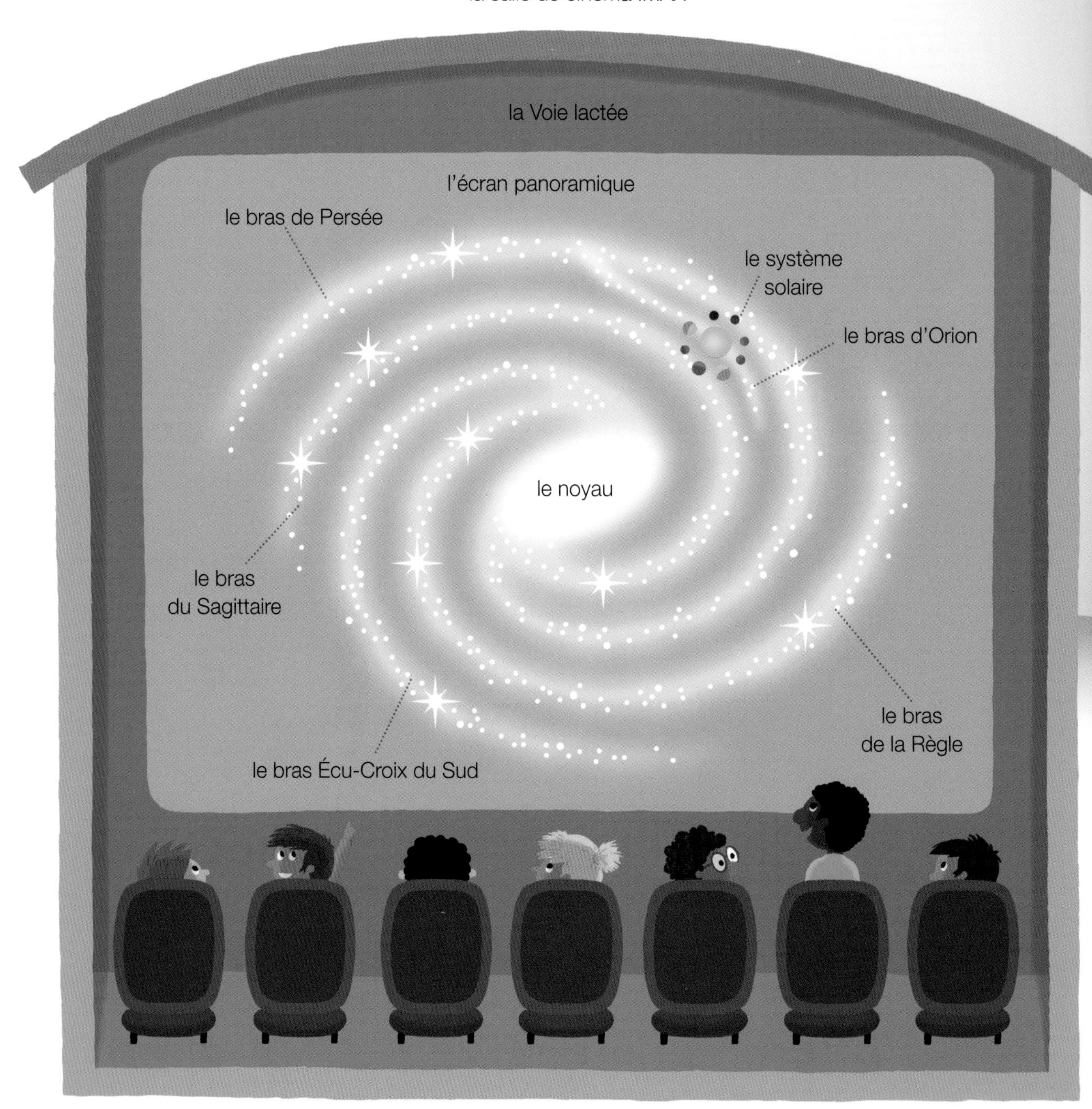

Comment bien voir la Voie lactée ?

le milieu interstellaire, un mélange de gaz et de poussières

la Voie lactée : **200 à 400 milliards** d'étoiles

La lumière des villes nous empêche d'observer la Voie lactée.

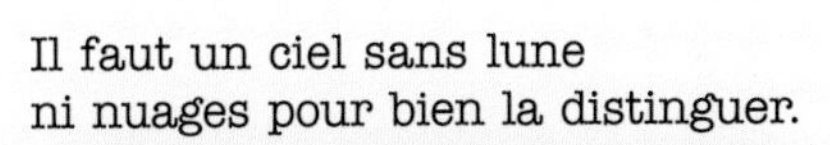

Il faut un ciel sans lune ni nuages pour bien la distinguer.

En été, à la campagne, tu peux facilement observer la Voie lactée la nuit.

Les planètes du système solaire 24
Les galaxies 40

Les télescopes

Pour obtenir des images de l'espace, de planètes éloignées ou d'autres galaxies, les astronomes utilisent des télescopes.

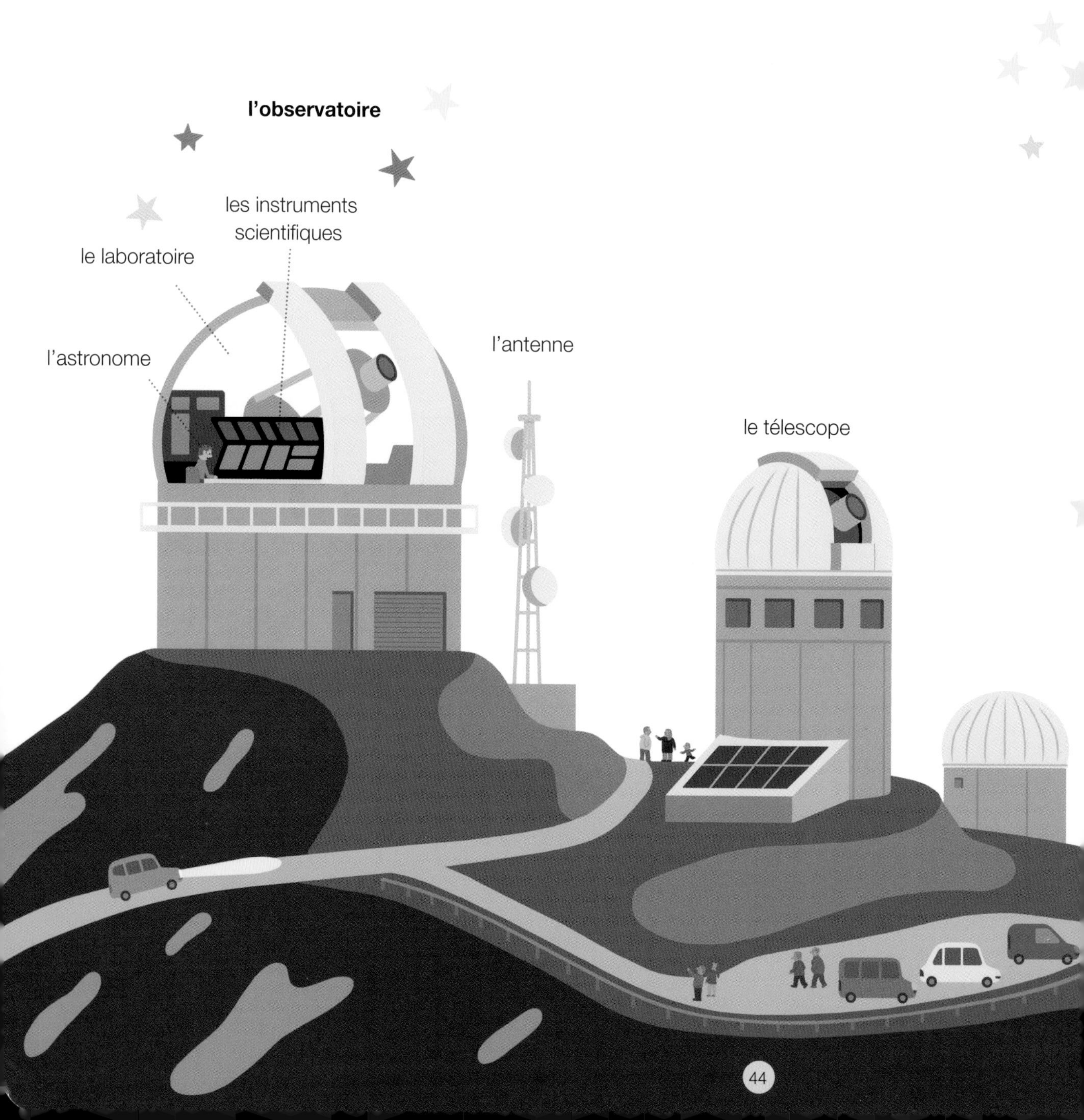

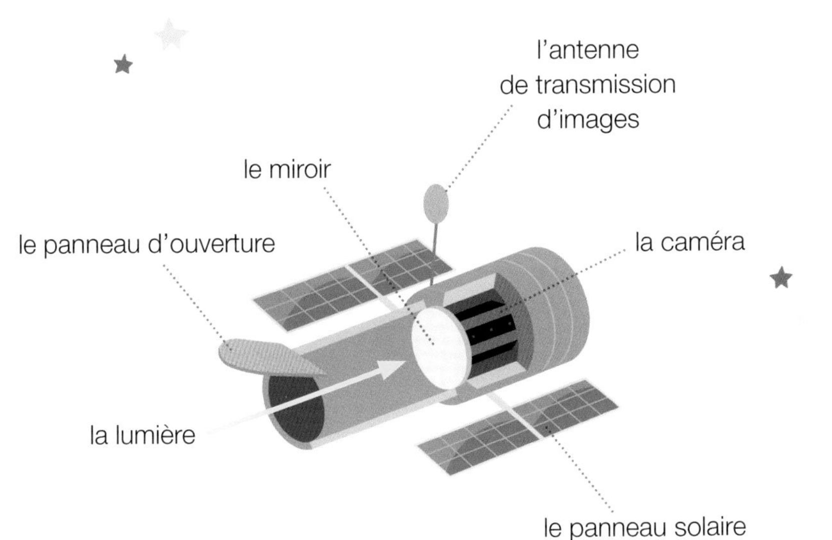

Où choisit-on d'installer les télescopes ?

Lorsque tu veux regarder des étoiles, tu as peut-être remarqué que les lumières de la ville gênent ton observation.

Les télescopes sont souvent installés en haut des montagnes, loin des villes, pour éviter les lumières et la pollution.

Pour collecter le plus de lumière possible, les télescopes sont soit très grands, soit regroupés en ligne.

Les étoiles **38**
Les satellites **50**

La Terre vue du ciel

Observer la Terre depuis le ciel permet de mieux comprendre la planète.

Pourquoi
appelle-t-on la Terre *planète bleue*

Océans, mers, fleuves, rivières, lacs : l'eau est très présente sur Terre. As-tu déjà regardé des photos de la Terre vue du ciel?

Les océans occupent plus de place que les continents. Quelle chance, la Terre est la seule planète à disposer d'eau liquide!

Les océans sont constitués d'eau salée. Celle que l'on boit, l'eau douce, se trouve dans les lacs, les rivières ou les glaciers.

La planète Terre **28**
La Station spatiale internationale **64**

La fusée

Pour aller jusque dans l'espace,
la fusée a des moteurs plus puissants
que ceux des avions.

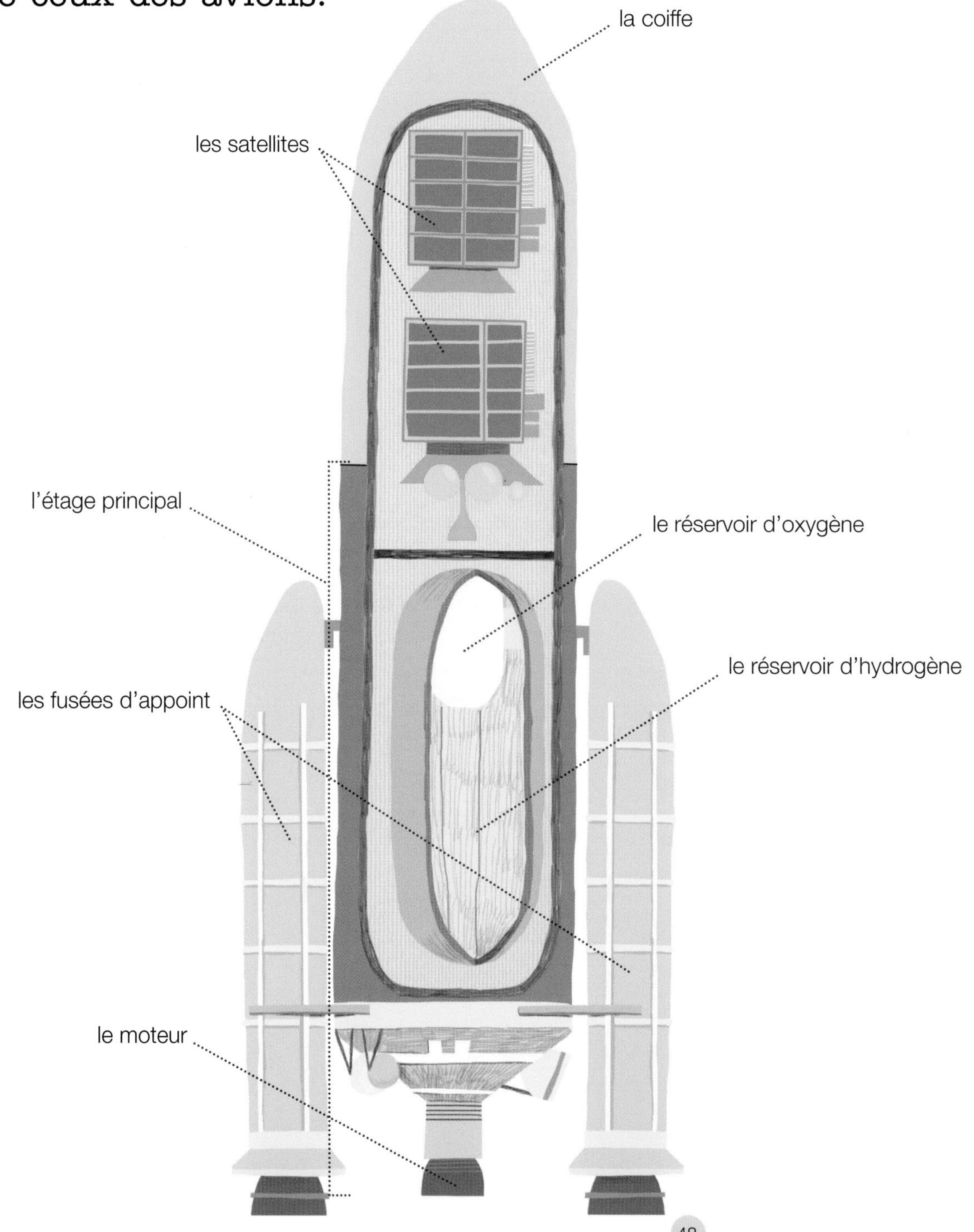

Le vol

En vol, les différentes parties de la fusée se séparent. Elle ne peut faire qu'un vol.

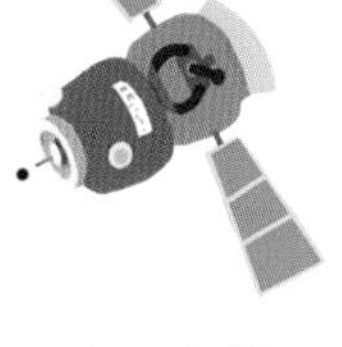

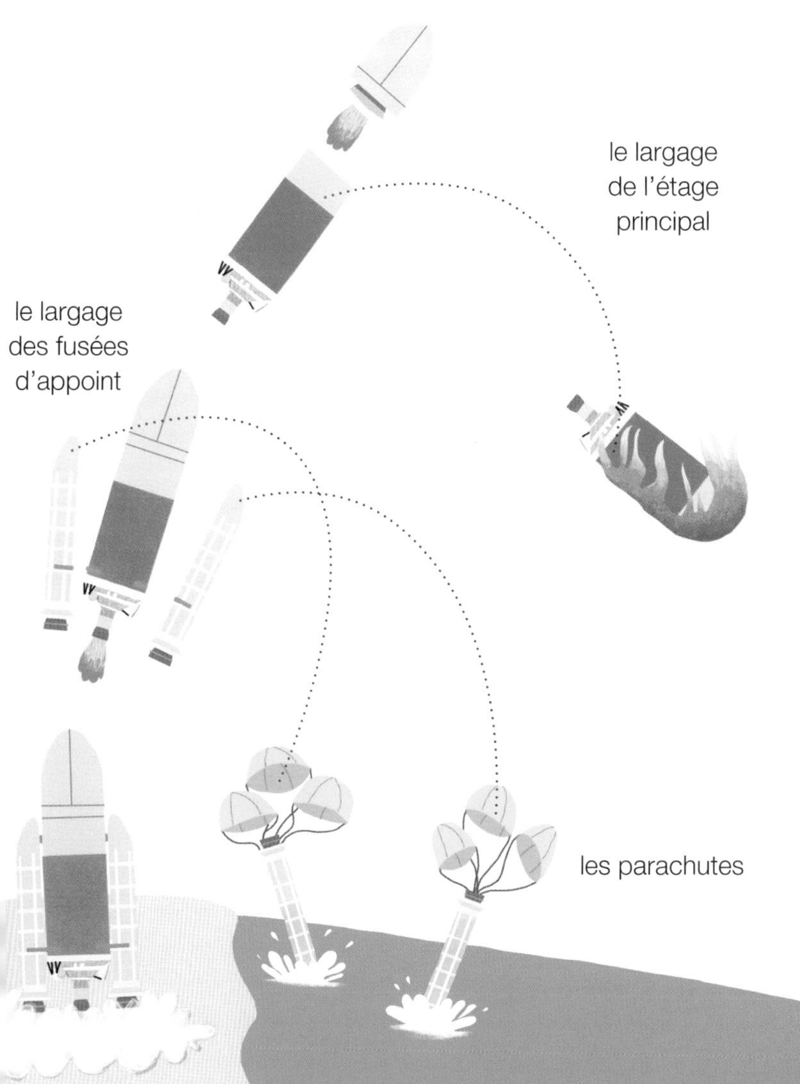

Pourquoi lancer des fusées ?

Sais-tu qu'il y a rarement des hommes dans les fusées qui décollent pour l'espace ? La plupart ne transportent que du matériel.

Les fusées mettent surtout en orbite des satellites. Ce sont des yeux et des oreilles géants, pour tout voir et tout entendre.

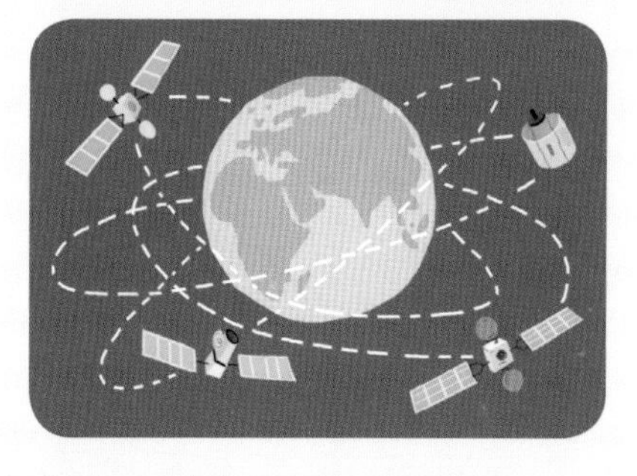

Grâce à eux, on peut regarder la télévision ou connaître la météo. Et ils peuvent même servir d'espions...

La conquête spatiale **56**
La base de lancement **60**

Les satellites

De nombreux satellites, créés par l'homme, tournent autour de la Terre et nous envoient des informations.

Est-ce que les satellites retombent sur Terre ?

Parfois, tu vois dans le ciel des points lumineux que tu peux confondre avec des étoiles ou des avions : ce sont des satellites.

Ils transforment le ciel en une dangereuse poubelle géante : ils peuvent se tamponner, créant encore plus de déchets.

Les satellites très hauts dans l'espace peuvent être envoyés vers une orbite poubelle, une sorte de déchetterie.

Le ciel **8**
Les télescopes **44**

Voyons voir...

Avec ton doigt, relie chaque constellation à son nom.

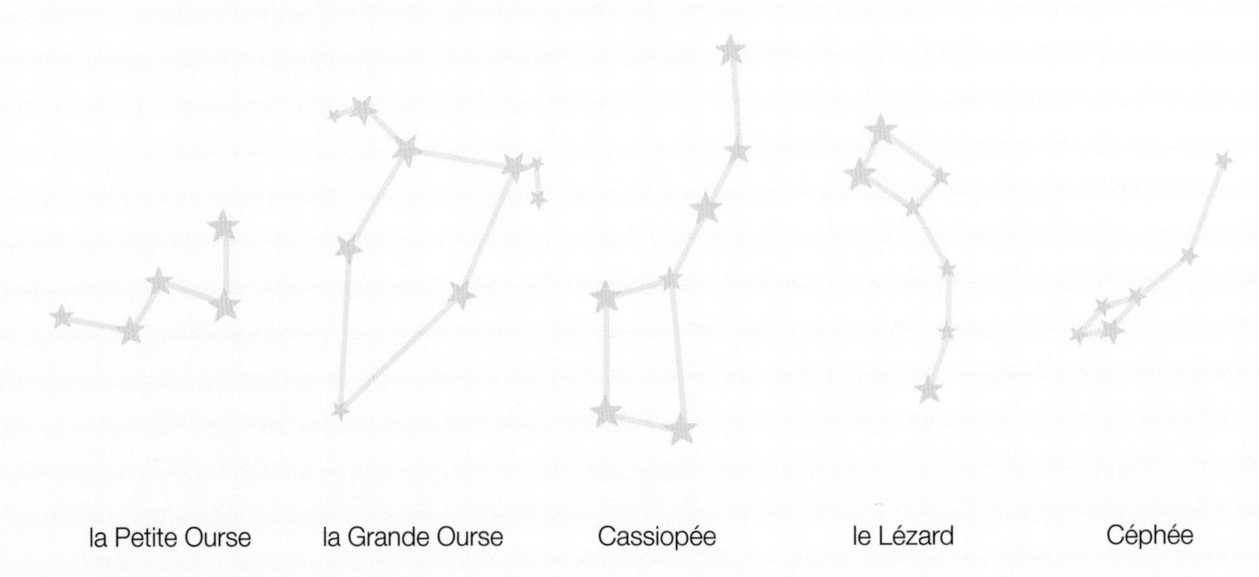

la Petite Ourse | la Grande Ourse | Cassiopée | le Lézard | Céphée

Retrouve l'ombre de chaque télescope.

Classe ces images du lancement d'une fusée du début à la fin.

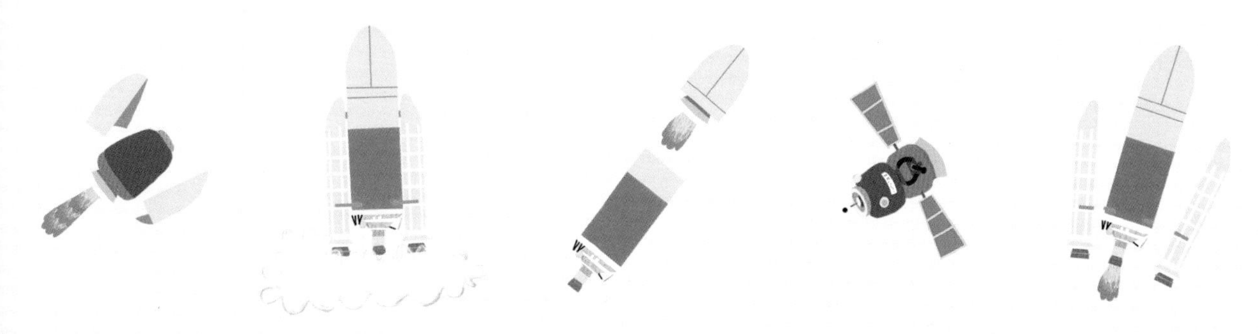

Que vois-tu ? Peux-tu voir la France sur cette image ?
À quoi cela sert de regarder la Terre depuis l'espace ?

Les galaxies peuvent
avoir des formes très différentes.

Laquelle préfères-tu ?

Quelle est la forme
de notre galaxie ?

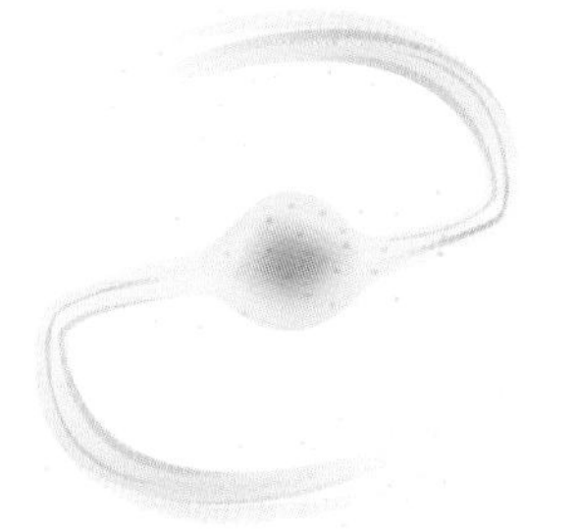

La conquête spatiale

La conquête spatiale

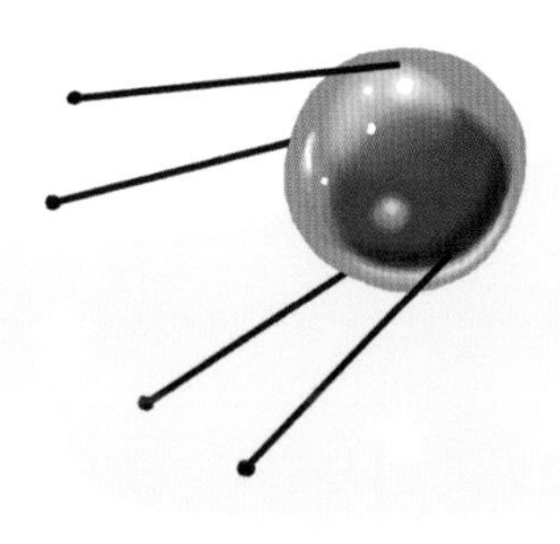

1957, *Spoutnik 1* :
premier satellite
dans l'espace

1957, *Spoutnik 2* :
la chienne Laïka,
premier être vivant
dans l'espace

1961, mission *Vostok 1* :
Iouri Gagarine,
premier homme
dans l'espace

1986, *Mir* : début de l'assemblage
de la première station
« permanente » dans l'espace

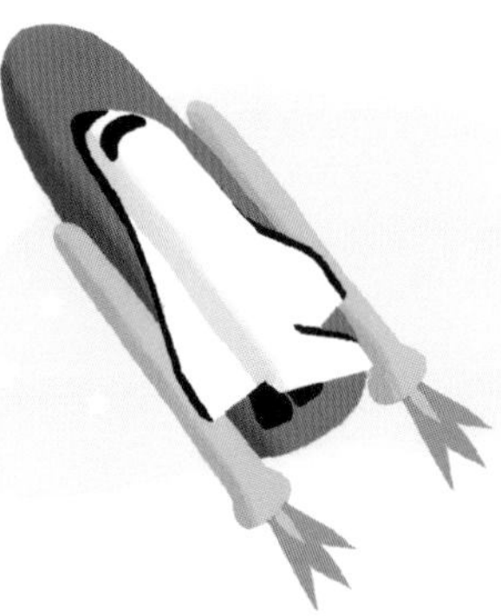

1981, navette spatiale
Columbia :
premier décollage

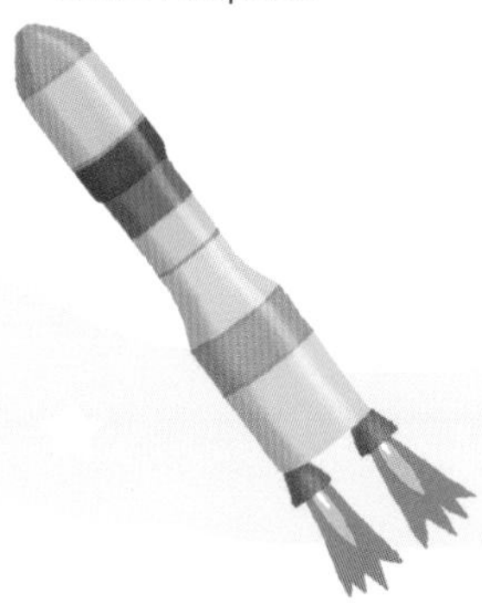

1979, *Ariane* :
premier lancement
de la fusée européenne

1986, navette spatiale
Challenger : explosion
en vol avec 7 astronautes
à bord

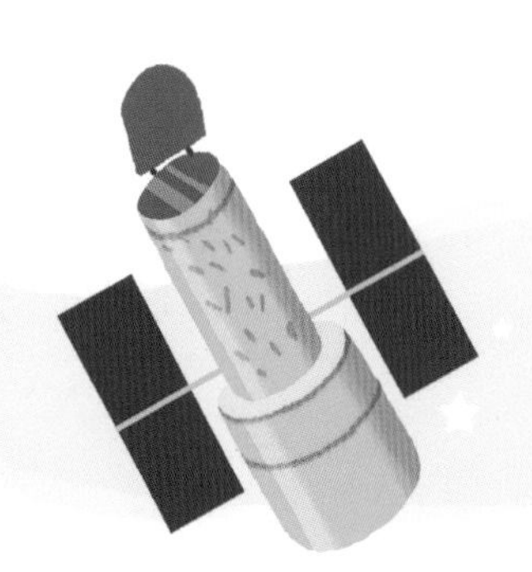

1990, télescope *Hubble* :
lancement dans l'espace

1997, mission
Mars Pathfinder :
exploration de Mars
grâce au robot *Rocky*

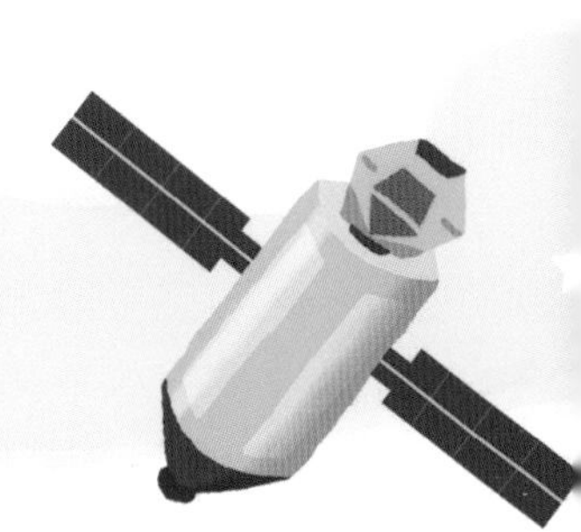

1998, lancement
du premier module
de la future Station
spatiale internationale (

1965, mission *Voskhod 2* :
Alekseï Leonov,
premier homme à sortir
dans l'espace

1969, mission *Apollo 11* :
Neil Armstrong, premier pas
de l'homme sur la Lune

1976, sondes
Viking 1 et *Viking 2* :
premières explorations
de Mars

1971, sonde *Mars 3* :
premier atterrissage
réussi sur Mars

2012, envoi
du rover *Curiosity*
sur la planète Mars

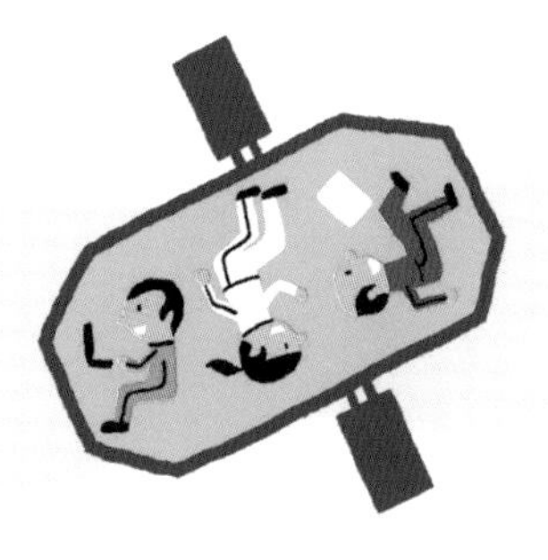

aujourd'hui :
présence ininterrompue
d'un équipage à bord de l'ISS

Qui sont les astronautes ?

Connais-tu Thomas Pesquet ? C'est un astronaute français parti à bord de la Station spatiale internationale (ISS) en 2016.

Avant lui, neuf astronautes français ont été dans l'espace à bord de stations russes, de navettes américaines ou de l'ISS.

À bord de l'ISS, il y a déjà eu des astronautes de Russie, des États-Unis, d'Europe, du Japon ou d'Afrique du Sud...

Le premier pas sur la Lune **62**
La Station spatiale internationale **64**

L'entraînement des astronautes

Un astronaute s'entraîne pendant plusieurs années pour apprendre à piloter et répéter les bons gestes pour travailler dans l'espace.

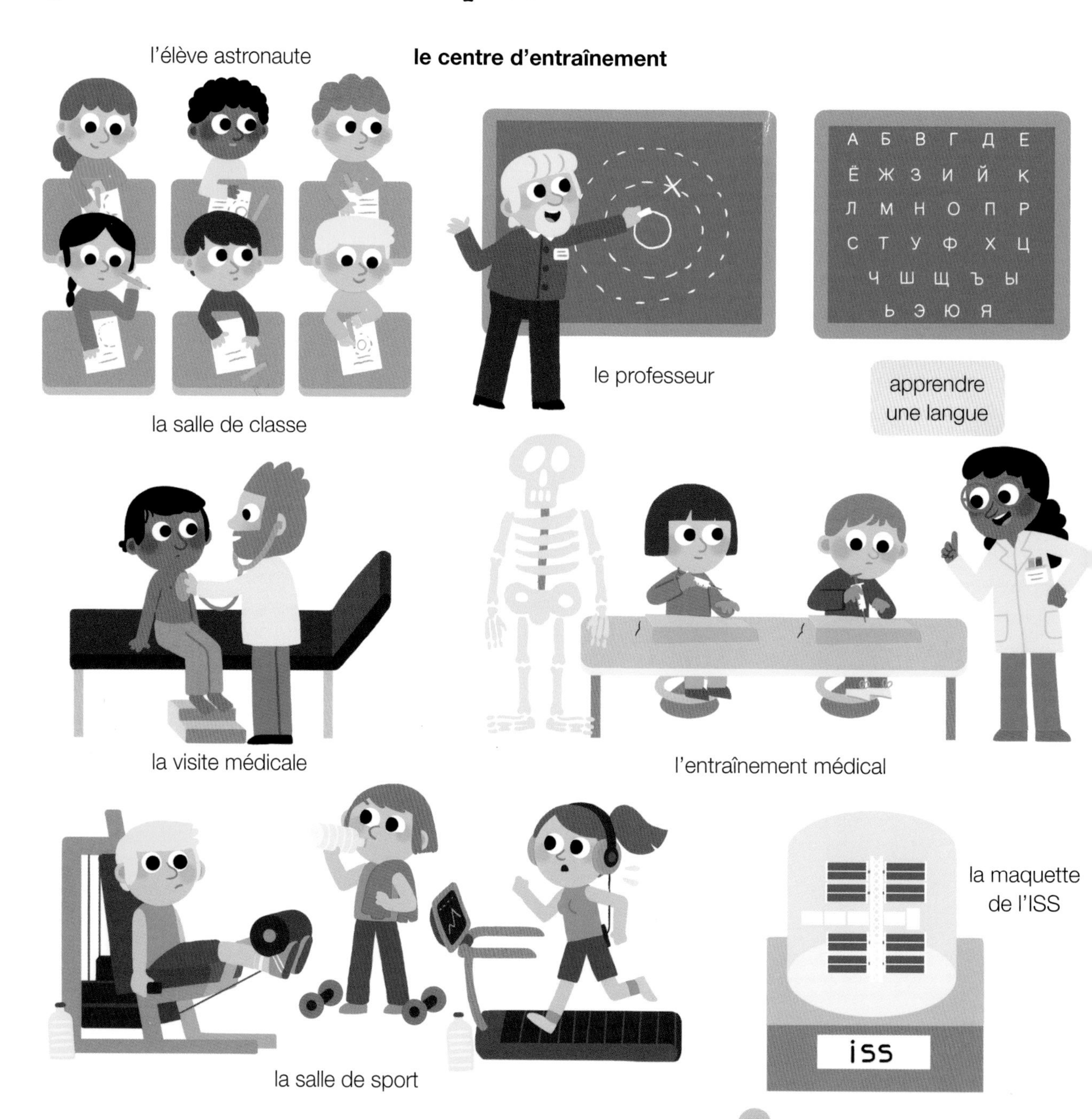

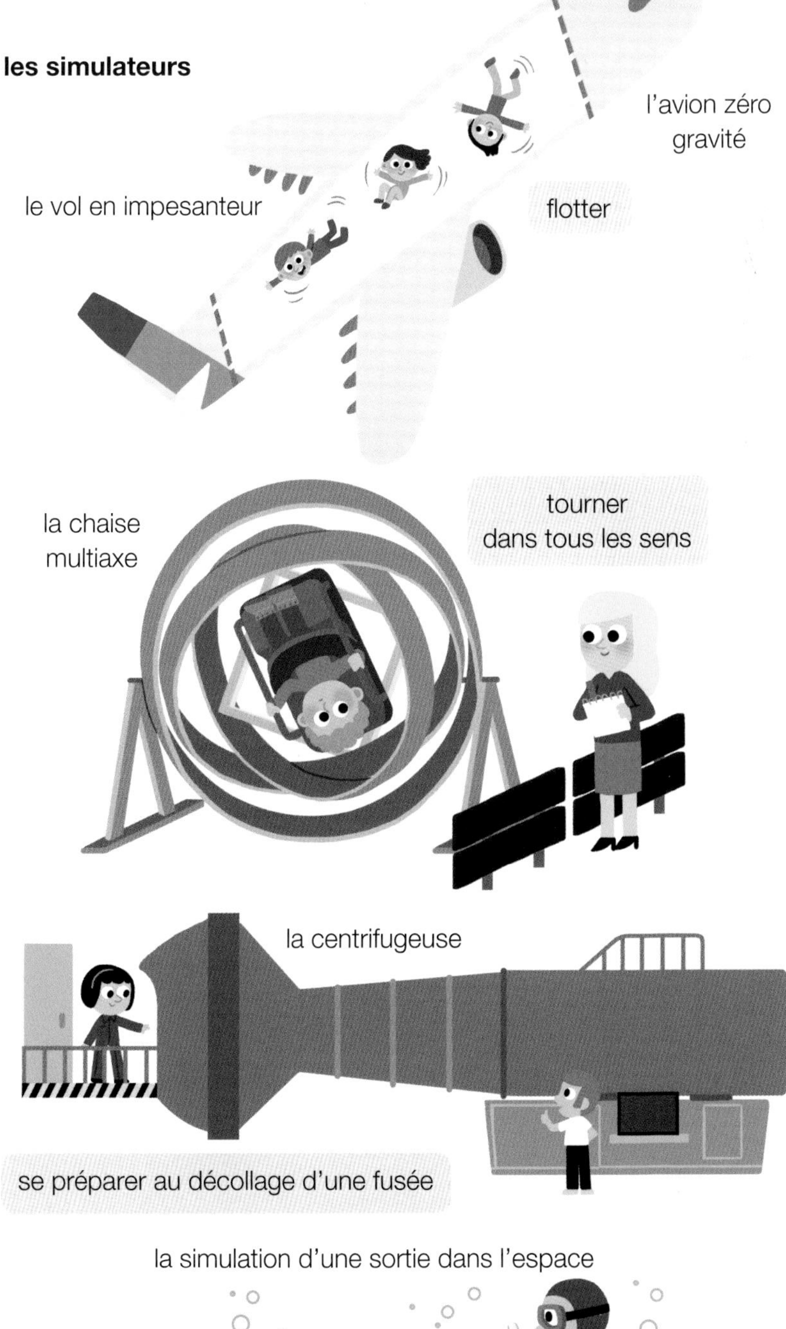

C'est quoi, un scaphandre ?

Les super-héros peuvent voler dans l'espace sans équipement spécial, mais pas les êtres humains.

Pour sortir dans l'espace, l'astronaute porte un scaphandre qui lui permet de respirer tout en étant protégé du froid extrême.

La visière de son casque est dorée pour le protéger des rayons du Soleil. Un tube près de sa bouche lui permet de boire. Pratique !

La Station spatiale internationale **64**
Sortir dans l'espace **68**

La base de lancement

Loin des maisons, dans un lieu très protégé, voici l'endroit d'où décollent les fusées !

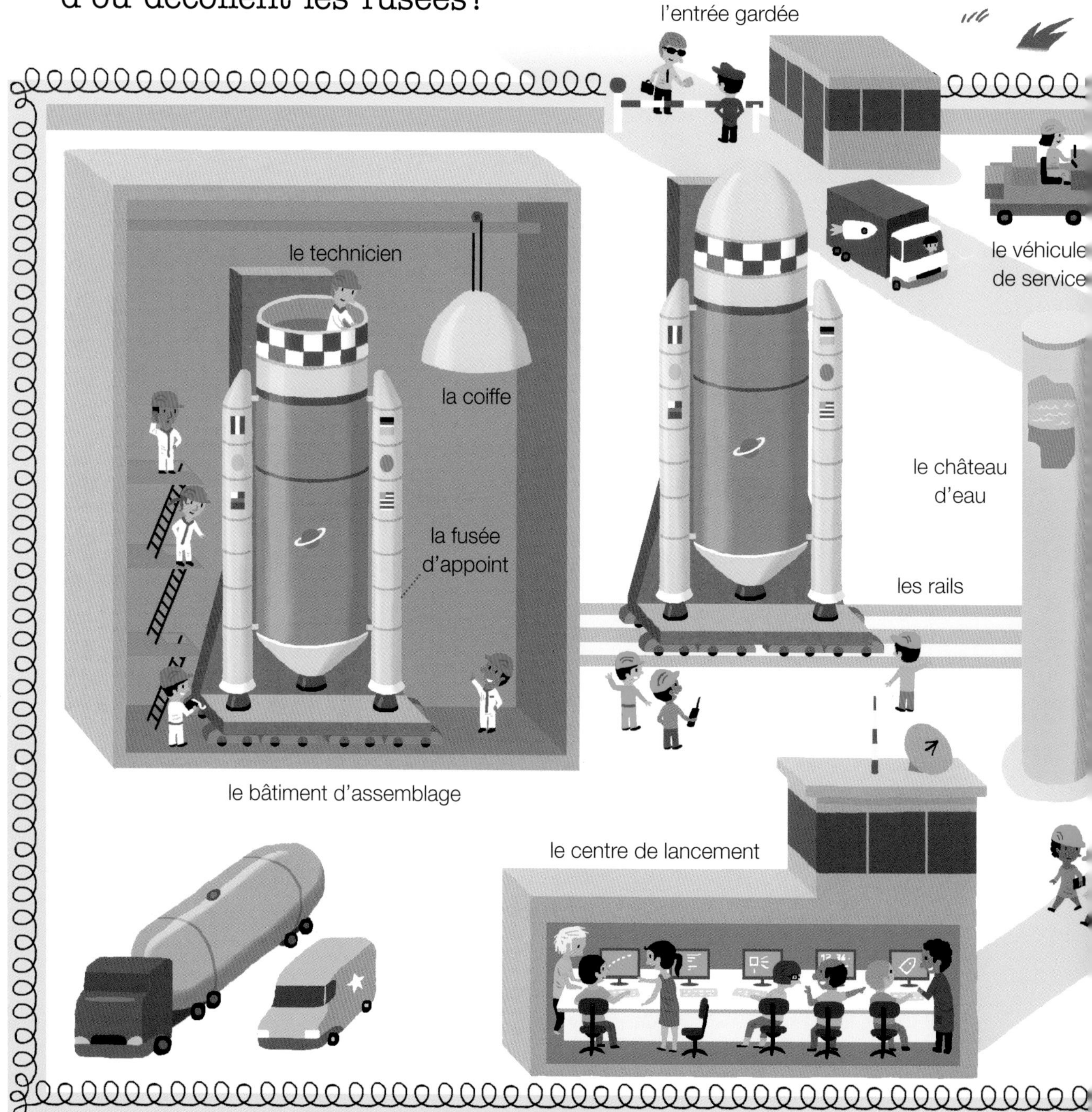

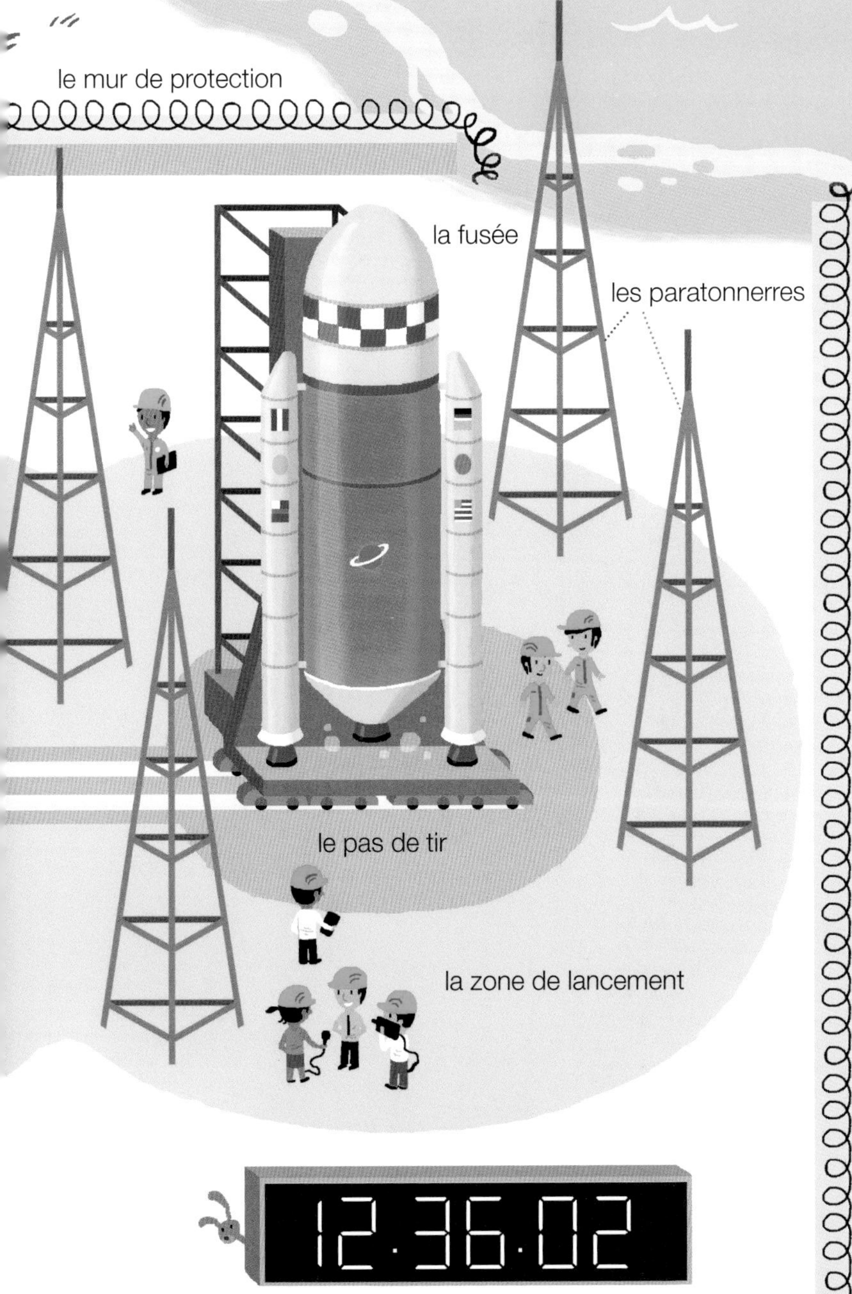

le compte à rebours

Pourquoi va-t-on dans l'espace ?

Tu as peut-être déjà pris l'avion. Alors tu te dis : « Pourquoi ne pas faire un petit voyage en fusée? »

Construire une fusée coûte beaucoup d'argent! On ne va dans l'espace que pour faire des recherches, des expériences.

Mais on commence à imaginer des engins capables de voler dans l'espace pour le plaisir. À quand un baptême de l'espace?

La fusée **48**
Le vol **49**

Le premier pas sur la Lune

En 1969, la mission *Apollo 11* emmène pour la première fois des hommes sur la Lune.

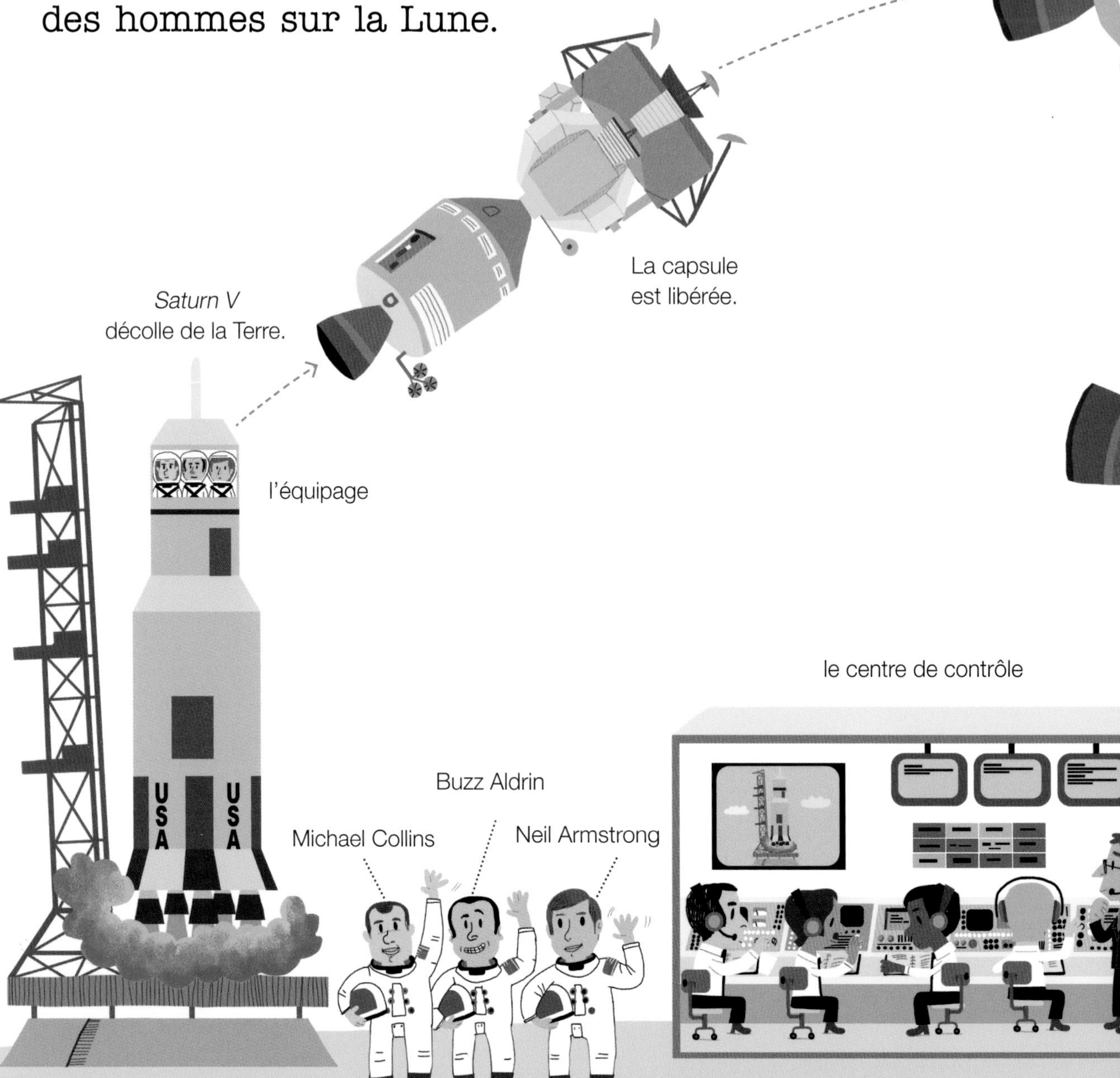

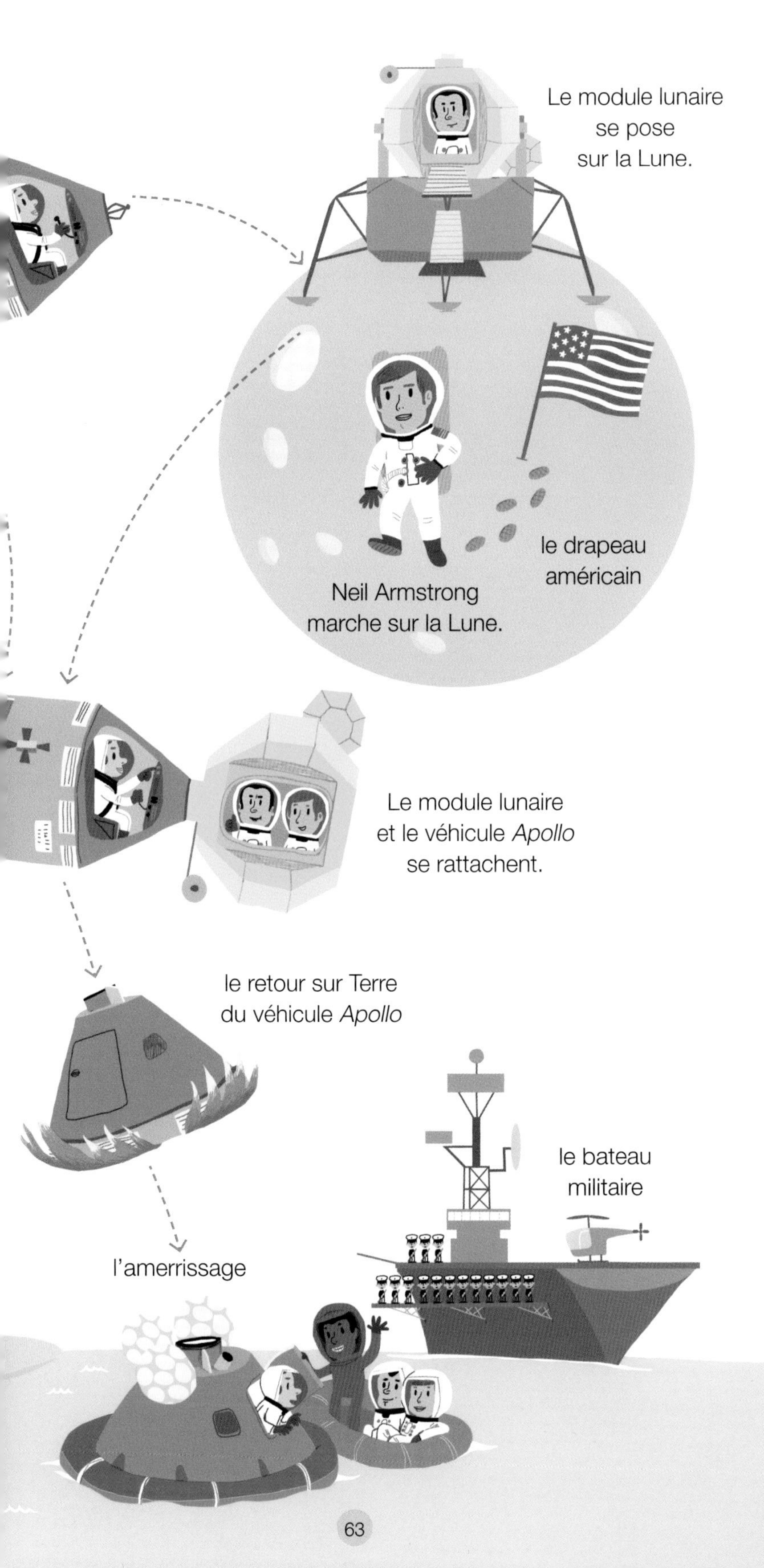

Qui est allé le premier dans l'espace ?

Neil Armstrong a été le premier homme à marcher sur la Lune. Mais il n'est pas le premier à être allé dans l'espace.

Huit ans avant, Iouri Gagarine avait été le premier homme dans l'espace. Pourtant, on y était déjà allé avant lui...

Le tout premier voyageur à être allé dans l'espace était... une chienne ! Elle s'appelait Laïka.

La Lune 29
La conquête spatiale 56

La Station spatiale internationale

La Station spatiale internationale (ISS) est un laboratoire géant qui permet aux astronautes de faire des expériences scientifiques.

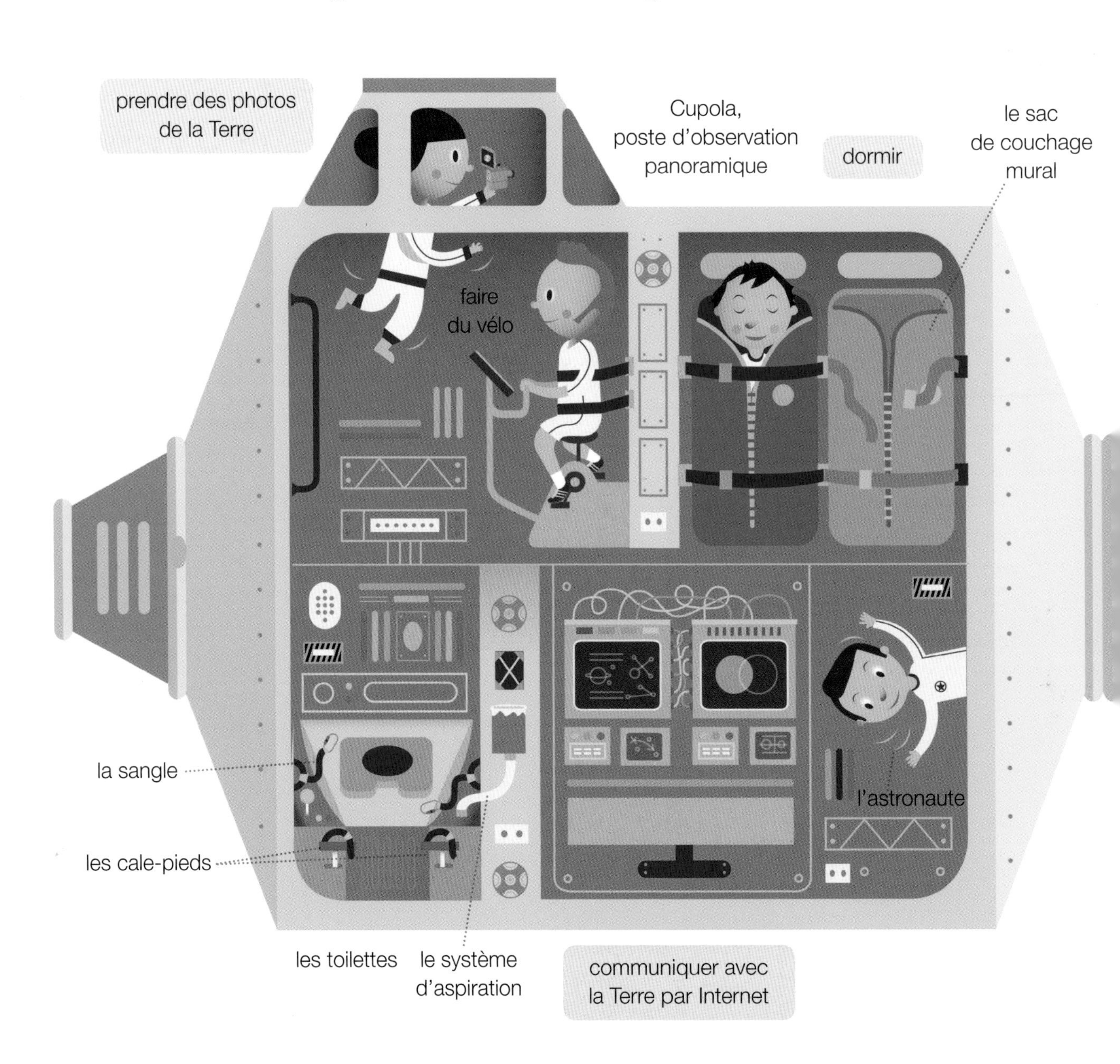

faire pousser des salades

l'écoutille
de sortie

le scaphandre

le sas

Est-ce qu'on mange comme sur Terre ?

Dans l'espace, c'est un peu comme sous l'eau, les objets et les corps flottent tout seuls. C'est l'impesanteur.

Pour boire, les spationautes utilisent alors des pailles, sinon leur boisson pourrait « s'échapper » de leur verre !

Ils mangent aussi une nourriture spéciale qui ne fait pas de miettes. Les repas sont préparés sur Terre avant le départ.

Le ravitaillement de la station **66**
Sortir dans l'espace **68**

Le ravitaillement de la station

Tous les deux mois, un vaisseau apporte aux astronautes de l'eau, de la nourriture, des équipements et de l'oxygène !

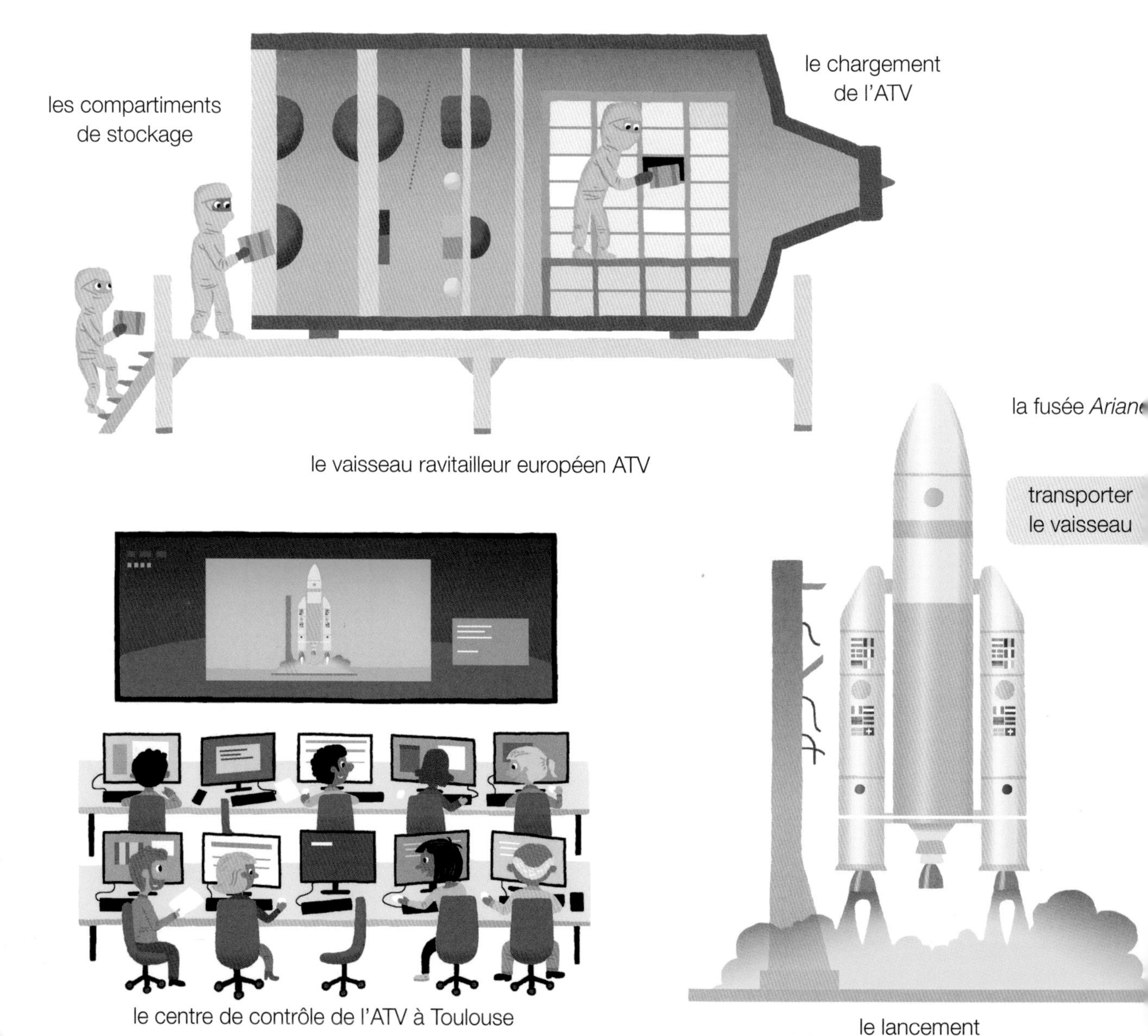

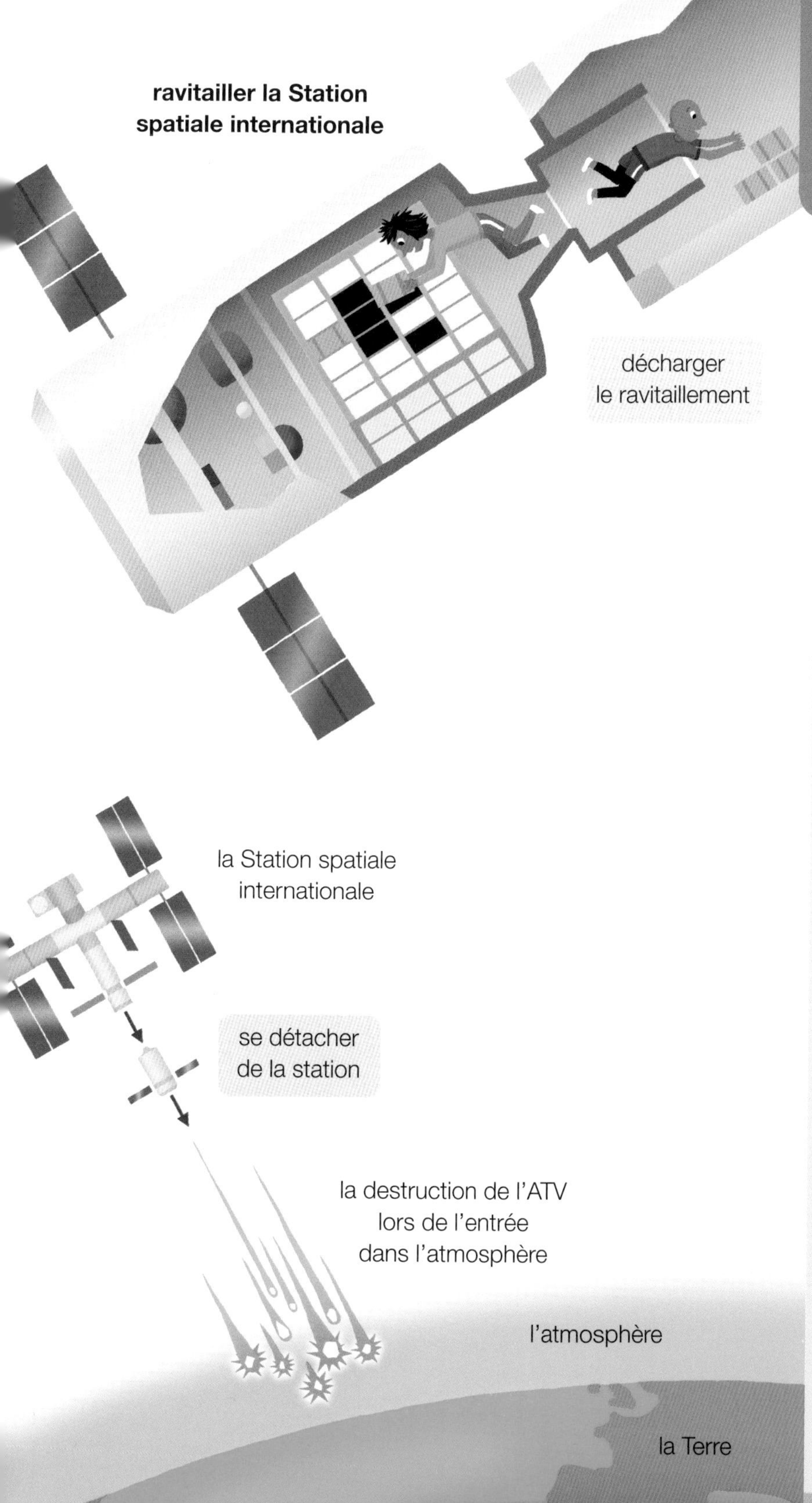

Comment fait-on pipi dans l'espace ?

Aller aux toilettes dans l'espace n'est pas facile. Il faut s'attacher à l'aide de sangles pour ne pas flotter.

Un jet d'air aspire toutes les crottes des astronautes. Elles sont stockées avec les autres poubelles.

Les astronautes font pipi dans un tuyau. L'urine aspirée est recyclée pour produire de l'eau potable.

La base de lancement 60
Le retour sur Terre 70

Sortir dans l'espace

Vêtus de leur scaphandre, les astronautes sortent dans l'espace pour réparer la station.

le sac à dos avec le système de survie

la caméra

le casque extérieur

la lumière

la visière, recouverte d'or pour se protéger des rayons du Soleil

le module de commande, pour surveiller ses signes vitaux et utiliser la radio

le miroir, pour voir les consignes sur le module de commande

le réservoir à oxygène

la checklist

la visseuse

les gants chauffés

la longe, qui relie au vaisseau spatial

les bottes spatiales

la cagoule

les écouteurs

le système de refroidissement, pour ne pas avoir trop chaud dans l'espace

le micro

la couche, pour faire ses besoins en dehors de la station

les sous-vêtements

Comment respire-t-on dans l'espace ?

En plus d'un scaphandre, les astronautes portent un gros sac sur leur dos.

Des équipements pour fournir de l'oxygène leur permettent de respirer.

Avec tout ce matériel, l'astronaute travaille lentement, avec des outils faciles à manipuler même avec de gros gants.

L'entraînement des astronautes **58**
Le premier pas sur la Lune **62**

Le retour sur Terre

Après un séjour de plusieurs mois, les astronautes retournent sur Terre avec le vaisseau *Soyouz*.

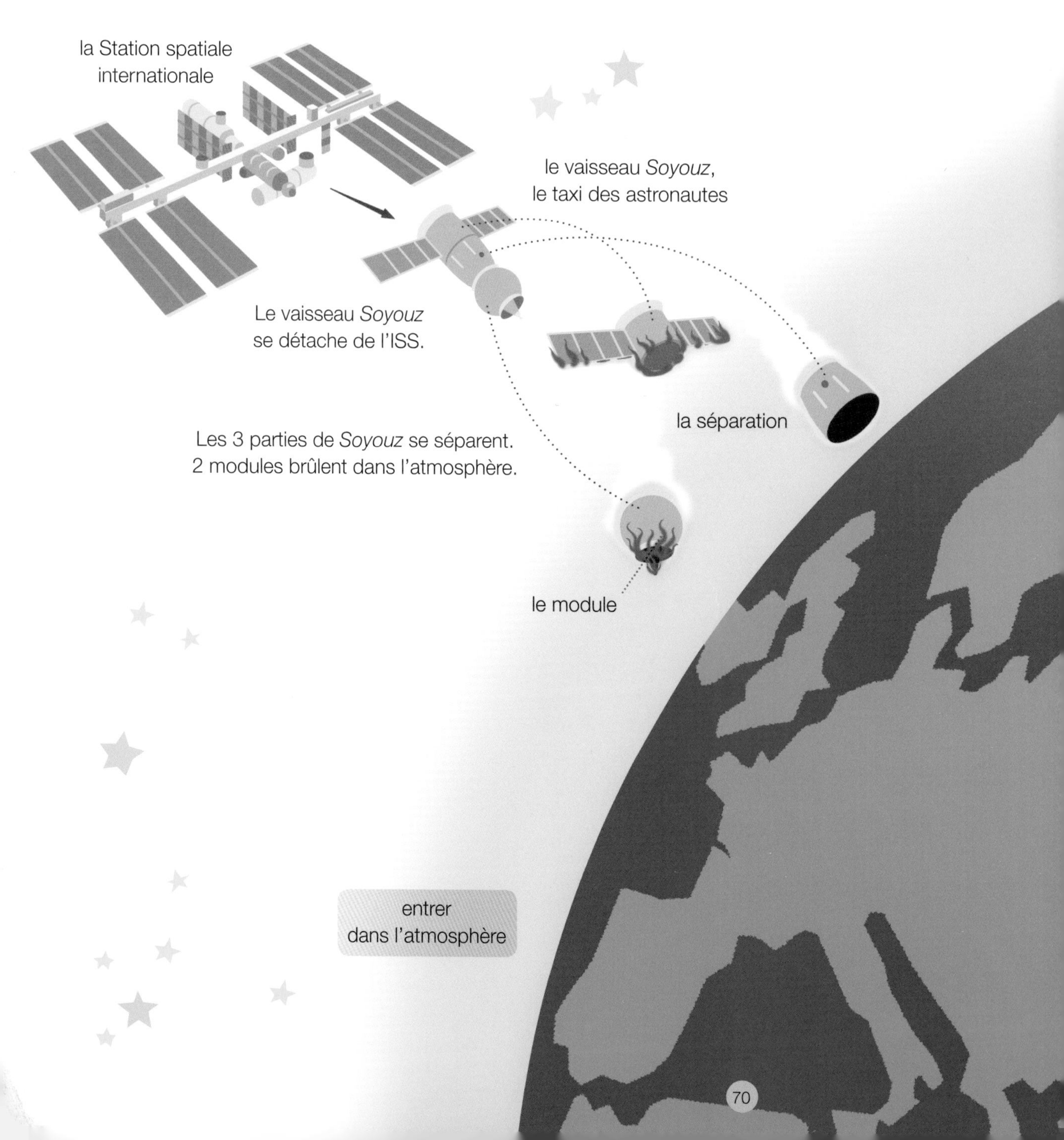

Combien de temps dure le voyage ?

Le voyage pour rejoindre l'ISS dure entre 5 heures et 2 jours.

En revanche, le retour est beaucoup plus rapide : le trajet ne dure que 3 h 30.

Après des semaines à flotter dans l'ISS, les astronautes ont du mal à tenir sur leurs jambes. Mais leur corps se réhabitue vite.

La Terre vue du ciel 46
Le vol 49

L'espace du futur

Des chercheurs et inventeurs réfléchissent aux futurs équipements de l'espace.

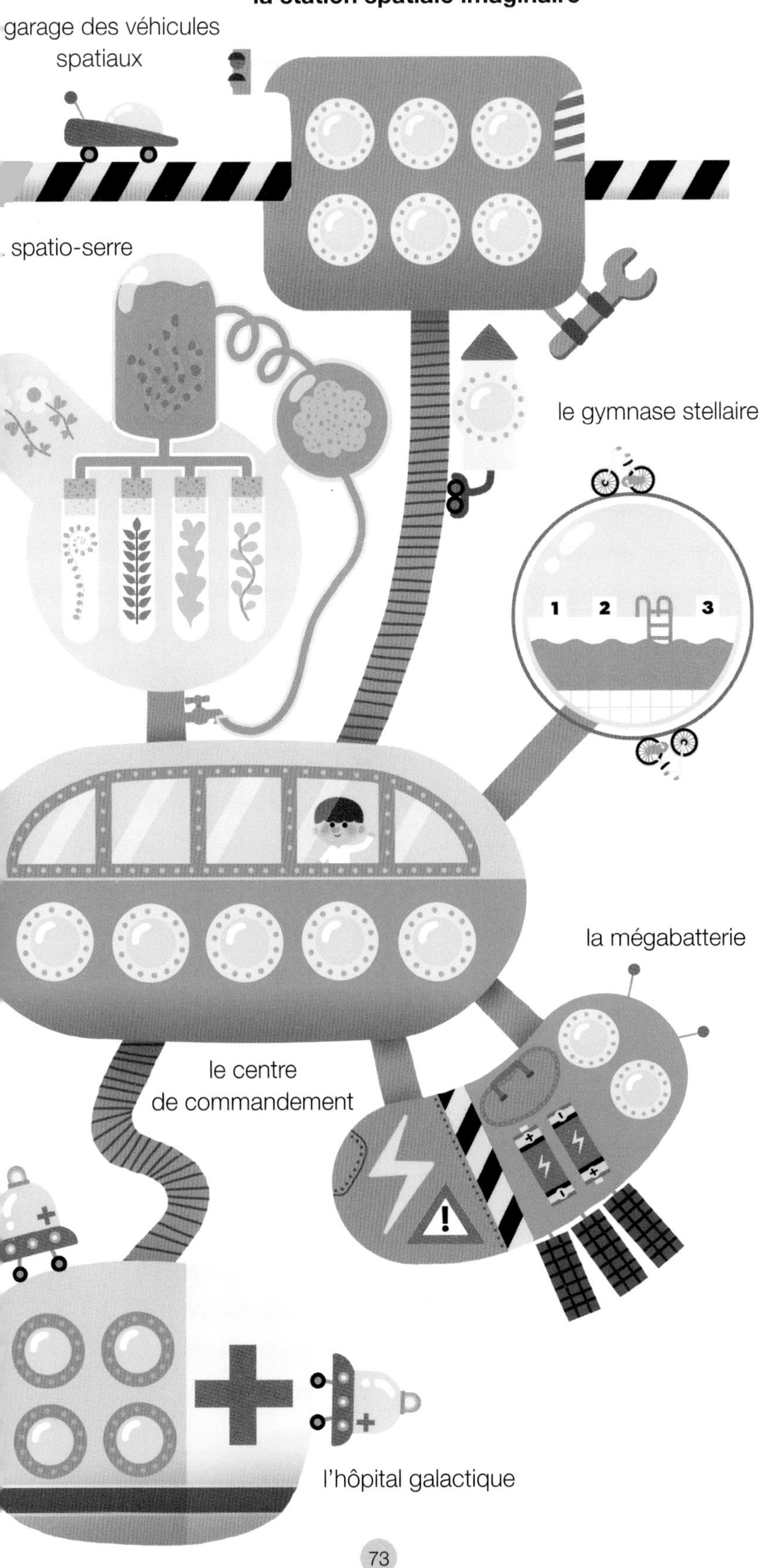

Est-ce que c'est loin, Mars ?

Lorsqu'elle est proche de la Terre, Mars est à 56 millions de kilomètres.
Ça paraît très loin...

Il faut six mois au minimum pour l'atteindre et au moins autant de temps pour en revenir.

Quand tu seras grand, tu verras peut-être des hommes partir sur Mars pour étudier encore un peu plus cette planète.

La conquête spatiale **56**
La Station spatiale internationale **64**

Voyons voir...

Décris la scène. Que se passe-t-il? À quoi les techniciens se préparent-ils?

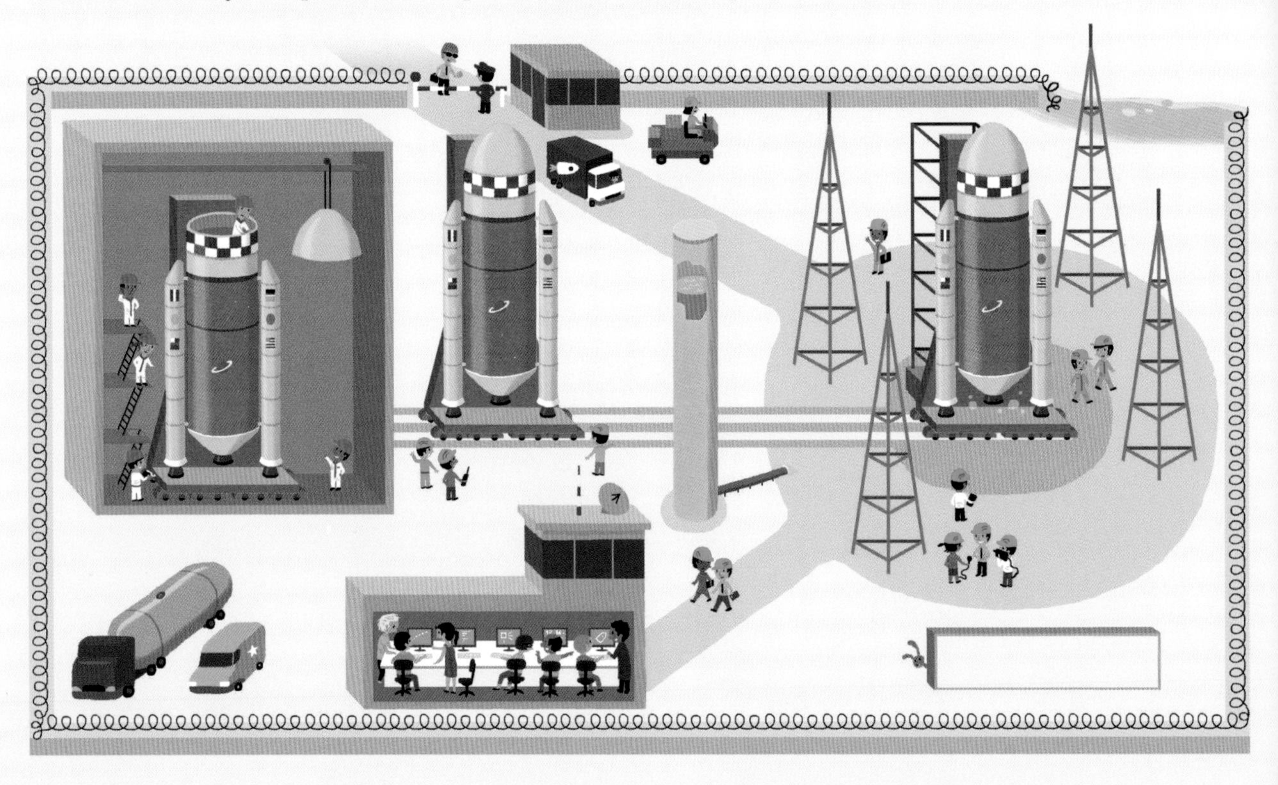

Quel est le point commun entre Michael Collins, Buzz Aldrin et Neil Armstrong?

Il faut bien s'équiper pour faire pipi dans l'espace. Désigne le matériel dont tu aurais besoin pour utiliser les toilettes spatiales.

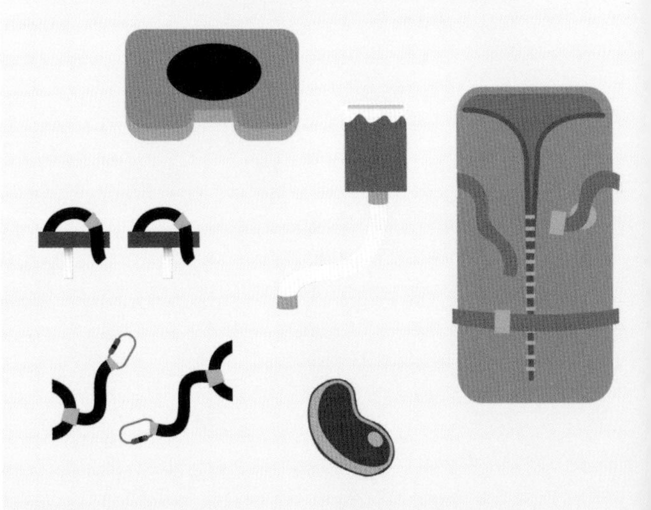

Observe bien ces deux images et trouve les cinq différences.

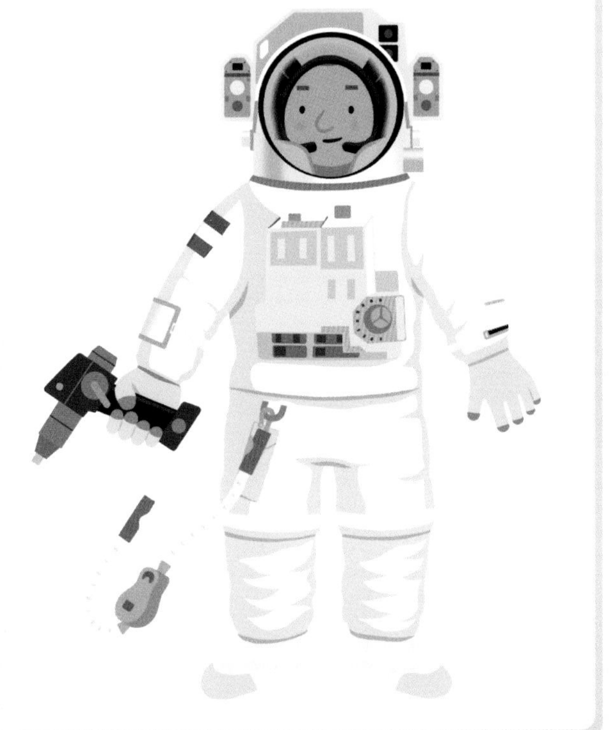

Les astronautes s'entraînent pendant
de longues années avant d'aller dans l'espace.
Aimerais-tu aller dans l'espace un jour ?
Et toi, quel métier aimerais-tu faire quand tu seras grand ?

L'index

A

Afrique 47
Alekseï Leonov 57
Amérique du Nord 46
amerrissage 63
an 13, 33
Andromède 39
animateur radio 51
anneaux 30
antenne 44
antenne de transmission d'images 45
Apollo 11 57, 62, 63
apprendre une langue 58
arc-en-ciel 11
Ariane 56, 66
Asie 47
astéroïde 24
astronaute 56, 57, 58, 59, 62, 64, 66, 67, 68, 69, 70, 71, 72
astronome 12, 44
atmosphère 8, 29, 39, 46, 67, 70
atterrissage 71
ATV 66, 67
aurore polaire 8, 46
automne 15
avion supersonique 8
avion zéro gravité 59

B

bactérie 31
banc de nuages 46
baptême de l'espace 61
base de lancement 60
bateau militaire 63
bâtiment d'assemblage 60
Big Bang 33
boire 59, 65
bottes spatiales 68
bras 40
  d'Orion 42
  du Sagittaire 42
  de la Règle 42
  de Persée 42
  Écu-Croix du Sud 42
brouillard 11
Buzz Aldrin 62

C

cagoule 69
cale-pieds 64
caméra 45, 68
capsule 62
carte du ciel 38
casque 59, 68
Cassiopée 39
ceinture d'astéroïdes 24
centre
  d'entraînement 58
  de commandement 73
  de contrôle 62, 66
  de lancement 60
centrifugeuse 59
Céphée 39
chaise multiaxe 59
chaleur 27
Challenger 56
chargement de l'ATV 66
château d'eau 60
checklist 68
chercheur 72
chienne Laïka 56, 63
ciel 8, 10
coiffe 48, 49, 60
Columbia 56
communiquer avec la Terre par Internet 64
compartiment de stockage 66
compte à rebours 61
constellation 38
continent 28, 47
Copernic 12, 13
couche 69
cratère
  Copernic 29
  Petavius 29
  Platon 29
  Tycho Brahe 29
crottes 67
croûte terrestre 28
Cupola 64
Curiosity 57
cyclone 46
Cygne 39

D

décharger le ravitaillement 67
décollage 49
dernier croissant 17
dernier quartier 16
destruction de l'ATV lors de l'entrée dans l'atmosphère 67
disparition progressive du Soleil 18
dormir 64
Dragon 38
drapeau américain 63

E

eau 10, 11, 29, 47
eau potable 67
échelle 45
éclipse lunaire 18, 19
éclipse partielle 19
éclipse solaire 18, 19
éclipse totale 18, 19
écouter la radio 50
écouteurs 69
écoutille 65, 71
écran panoramique 42
électricité 27
énergie 27
entraînement médical 58
entrée gardée 60
entrer dans l'atmosphère 67, 70
équateur 28
espace 44, 48, 49, 56, 57, 59, 61, 63, 65, 67, 68, 69, 72
étage principal 48
été 15, 39, 41
étoile 17, 24, 26, 32, 33, 38, 41, 43, 71
étoile filante 39
étoile Polaire 38
être humain 33
être vivant 29
Europe 47
évaporation 10
exoplanète 25
exosphère 9
extraterrestre 31

F

face visible de la Lune 29
faire des expériences 61, 64, 65
faire du vélo 64
faire pipi 67
faire pousser des salades 65
faire ses besoins 69
fleuve 10, 47
flotter 59, 71
France 11, 15
fusée 48, 60, 61, 66
fusée d'appoint 48, 49, 60

G

Galaxie 13
galaxie 32, 33, 40, 42, 43, 44
  en forme de lentille 41
  en spirale 40
  en spirale barrée 40
  irrégulière 41
  ovale 41
Galilée 12
gants chauffés 68
garage des véhicules spatiaux 73
gaz 41, 42
gaz très chaud 27, 39
Girafe 38
glacier 47
globe 14
Grande Ourse 38
gymnase stellaire 73

H

hélicoptère 8
hémisphère Nord 28
hémisphère Sud 28
heure 13
hiver 15
hôpital galactique 73
Hubble 45, 56

I

impesanteur 59, 65
infiltration 10
information 50
instruments scientifiques 44
intérieur du Soleil 26
inventeur 72
Iouri Gagarine 56, 63
ISS 56, 57, 58, 64, 70, 71 (voir aussi *Station spatiale internationale*)

J

jour 13, 14
journaliste 71
jumelles 38
Jupiter 24, 30

L

laboratoire 44, 64
lac 47
lampe torche 14
lancement 60, 66
largage
 de l'étage principal 49
 des fusées d'appoint 49
Lézard 39
longe 68
lumière 9, 17, 26, 27, 44, 45, 68
Lune 12, 16, 17, 18, 19, 29, 41, 57, 62, 63
lunettes de protection 18

M

manteau 28
maquette de l'ISS 58
Mars 25, 31, 56, 57, 73
Mars Pathfinder 56
matière sombre 33
matin 14, 15
mégabatterie 73
mer 10, 47, 61
mer (Lune)
 de la Fécondité 29
 de la Sérénité 29
 de la Tranquilité 29
 des Crises 29
 des Humeurs 29
 des Nuées 29
 des Pluies 29
 des Vapeurs 29
 du Froid 29
Mercure 24, 31
mésosphère 9
mesurer la température 11
météorite 8, 29
météoroïde 39
météorologue 11
Michael Collins 62
micro 69
midi 14
milieu interstellaire 43
Mir 56
miroir 45, 68
mission spatiale 11, 56, 57, 62
module 70
 de commande 68
 lunaire 62, 63
mont Everest 8
montagne 10
monts (Lune)
 Apennins 29
 Caucase 29
moteur 48
mur de protection 61

N

nappe d'eau souterraine 10
navette du futur 72
navette spatiale 56
nébuleuse 32
neige 11
Neil Armstrong 62, 63
Neptune 24, 30
nouvelle lune 17
noyau 26, 27, 40, 42
noyau externe 28
noyau interne 28
nuage 9, 10, 11, 41
nuage de gaz 32
nuit 14, 38, 39

O

observatoire 44
observer les étoiles 38
océan 28 ,47
océan Atlantique 46
océan des Tempêtes 29
oiseau 8
ombre de la Lune 19
orage 11
orbite 49, 51
ordinateur 11, 50
ouverture de l'écoutille 71

P

panneau d'ouverture 44
panneau solaire 27, 45
parachute 49, 71
paratonnerre 61
pas de tir 61
Petit Lion 38
Petite Ourse 38
phases de la Lune 16
piscine 59
planète 13, 28, 30, 31, 32, 33, 44, 46, 47, 73
 bleue 31, 47
 de travers 30
 gazeuse 30
 la plus chaude 31
 la plus éloignée du Soleil 30
 la plus grosse 30
 la plus petite 31
 rouge 31
 tellurique 30, 31
pleine lune 16
plongeur 59
pluie 9, 11
pôle Nord 28
pôle Sud 28
poubelle 67
poussière 33, 41, 42
précipitations 10
premier croissant 16
premier quartier 16
prendre des photos de la Terre 64
préparer le départ 66
présentatrice 11
prévoir la météo 11
printemps 15
professeur 58

R

radio 50
radiotélescope 45
rails 60
ravitaillement 66
rayon 29, 59
réapparition progressive du Soleil 18
repas 65
respirer 69
retour à la mer 10
retour sur Terre 63
rétrofusée 71
réservoir
 à oxygène 68
 d'hydrogène 48
 d'oxygène 48
révolution de la Terre autour du Soleil 13
rivière 10, 47
robot *Rocky* 56
rotation de la Terre 12, 14
rover 57
ruissellement 10

S

sac à dos avec le système de survie 68
sac de couchage mural 64
salle de cinéma IMAX 42
salle de classe 58
salle de sport 58
sangle 64
sas 65
satellite 9, 13, 48, 49, 50, 51, 56, 72
satellite naturel 17
Saturn V 62
Saturne 25, 30
scaphandre 59, 65, 68, 69
scientifique 31, 43
se détacher de la station 67
se préparer au décollage d'une fusée 59
se protéger les yeux 18
séparation 70
simulateur 59
simulation d'une sortie dans l'espace 59
soir 14, 15
Soleil 9, 10, 11, 13, 14, 15, 17, 18, 19, 24, 26, 27, 29, 59, 68
sonde 31
 Mars 3 57

Viking 57
sortir dans l'espace 57, 59, 68
source 10
sous-vêtements 69
Soyouz 70, 71
space-food 72
spatio-serre 73
Spoutnik 56
station spatiale imaginaire 73
Station spatiale internationale 47, 56, 57, 64, 67, 70 (voir aussi *ISS*)
stratosphère 9
surface bouillonnante 26
système d'aspiration 64
système de refroidissement 69
système solaire 24, 25, 29, 33, 42

T

tache solaire 27
technicien 60
téléphone portable 50
téléphoner au bout du monde 51
télescope 38, 43, 44, 45, 56
télescope spatial 45
Terre 8, 12, 13, 14, 15, 16, 17, 24, 31, 46, 47, 50, 51, 67, 70, 71, 73
thermomètre 11
thermosphère 9
Thomas Pesquet 57
toilettes 64, 67
torrent 10
toupie 14, 15
tourner dans tous les sens 59
tourner sur soi-même 12, 13
traînée de poussières 33
transporter le vaisseau 66
troposphère 9
trou noir 33

U

Univers 32, 33, 43
Uranus 24, 30
urine 67
utiliser Internet 51

V

vaisseau 68, 70
vaisseau ravitailleur européen 66
véhicule de service 60
vent 11
Vénus 25, 31
vie 25, 26, 28, 31
visière 59, 68
visite médicale 58
visseuse 68
Voie lactée 40, 42, 43
voiture-maison 72
vol 49
vol en impesanteur 59
Voskhod 57
Vostok 56

Z

zone
d'éclipse partielle 19
d'éclipse totale 19
de lancement 61